GONZALO PEREYRA SAEZ

MINDFULNESS
MENTE PLENA, CORAZÓN CONTENTO

8 SEMANAS DE EJERCICIOS PARA LA REGULACIÓN EMOCIONAL

ÍNDICE

DEDICATORIA

A Flor... y a los que pronto vendrán.

AGRADECIMIENTOS

A mis padres, grandes maestros en valores, gracias por el apoyo incondicional y por enseñarme a confiar en mis sueños.

A mi compañera de vida, Flor, gracias por tu infinito amor, por tu paciencia y por todo lo que compartes conmigo.

Gracias a mis hermanos, quienes estarán siempre a mi lado, acompañándome en los buenos o malos momentos.

A mi querido amigo y colega Luciano Zócola, con quien comparto la pasión por la Psicoterapia.

Gracias a uno de mis primeros maestros, Jorge Rovner, por su excelencia para transmitir la filosofía del Dharma.

A Ronald D. Siegel, quien, pese a la distancia, supo convertirse en un gran maestro. Él es realmente un verdadero experto en Mindfulness. Gracias por su generosidad y por guiarme en el desarrollo conceptual del libro.

Gracias a todos los que de alguna manera me acompañaron en este camino, incluyendo amigos, compañeros de trabajo, abuelos, tíos, primos, suegros, cuñados, cuñadas y demás familiares.

Y especialmente gracias a todos mis pacientes y alumnos del Programa de Mindfulness y Regulación Emocional, de quienes nunca dejaré de aprender.

PRÓLOGO

POR RONALD D. SIEGEL

¿Por qué tantos de nosotros nos sentimos ansiosos, estresados o agotados? La sorprendente respuesta es: no evolucionamos para ser felices. Las maravillosas habilidades que permitieron la supervivencia de nuestros antepasados, como nuestro sistema de lucha o huida que nos ayuda a escapar del peligro, y nuestra notable capacidad para pensar, recordando el pasado y planificando el futuro, nos predisponen a todo tipo de trastorno psicológico. Pasamos mucho tiempo sintiéndonos molestos o amenazados, recordando experiencias pasadas dolorosas e imaginando futuras desgracias.

Pero hay buenas noticias. Los humanos no solo desarrollamos mecanismos de supervivencia que nos hacen infelices, también encontramos formas de contrarrestarlos. Y uno de los más efectivos es la práctica de Mindfulness. No es algo nuevo, todas las culturas del mundo han encontrado formas de desarrollar la atención plena. Esto tiene sentido, ya que todas las personas comparten la misma estructura cerebral básica y por lo tanto, la misma propensión rígida hacia la angustia psicológica.

Mindfulness es una actitud que podemos desarrollar hacia cada momento de nuestras vidas. Implica ser consciente de lo que está sucediendo en este momento, aquí y ahora, con abierta aceptación.

Podemos desarrollar esta capacidad a través de diferentes prácticas específicas. Comenzamos por dirigir nuestra atención a una experiencia sensorial (como las sensaciones de la respiración, los sonidos ambientales o el sabor de los alimentos). Debido a que evolucionamos para pensar en la supervivencia, a menudo surgen pensamientos. Cuando descubrimos que nuestra atención ha dejado nuestra experiencia sensorial y galopamos hacia la corriente de pensamiento, tenemos que volver suavemente nuestra atención a las sensaciones que tenemos entre manos.

Las instrucciones son simples, pero pronto descubrimos que nuestras mentes son juguetonas y no son fáciles de enfocar. No obstante, con la práctica, también descubrimos que la mente es entrenable y a medida que aprendemos a abrirnos a la experiencia sensorial en el momento y salir de la corriente de pensamiento, nuestro bienestar aumenta.

¿Cómo contrarrestan las prácticas de Mindfulness nuestras tendencias a la angustia? Tómese un momento ahora mismo para recordar algo que lo perturba. ¿Cree que se vería afectado de no ser por la mediación del pensamiento? Resulta que casi toda nuestra angustia involucra pensamientos negativos.

Las prácticas de Mindfulness nos ayudan a tomarnos todos nuestros pensamientos más a la ligera, reconociendo que ellos no son la realidad y que además tienen una naturaleza cambiante. Mindfulness redirige nuestra atención al momento presente que, aunque no siempre es cómodo, generalmente no es tan malo, especialmente si podemos aceptar lo que está sucediendo. Y como nuestros pensamientos son los que activan nuestro sistema de lucha o huida —creando tensión y estrés—, y Mindfulness nos ayuda a estar aquí y ahora en lugar de vivir en fantasías del pasado y el futuro, comenzamos a relajarnos.

Si bien las prácticas de Mindfulness se han desarrollado a lo largo de miles de años, también existen nuevas técnicas basadas en los avances de la neurobiología y la ciencia clínica que pueden ayudar a reforzar sus efectos. Algunos de estos métodos nos ayudan a obtener claridad y perspectiva en nuestras vidas, mientras que otros nos ayudan a trabajar con emociones perturbadoras tales como la ansiedad, la tristeza y la ira.

Este libro es una herramienta valiosa que, combinando el poder de Mindfulness con los descubrimientos científicos modernos en neurobiología y psicología, podrá utilizar para vivir una vida más feliz, saludable y plena. Se basa en una integración de prácticas de Mindfulness y técnicas psicoterapéuticas, junto a una comprensión profunda de los conocimientos desarrollados por científicos pioneros en todo el mundo. En las páginas siguientes, el Lic. Gonzalo Pereyra Saez presenta un programa claro y efectivo de 8 semanas que mucha gente ha seguido no solo para resolver sus dificultades emocionales, sino también para desarrollar una mayor inteligencia emocional. ¡Es probable que tenga usted muchos "momentos Mindfulness" en el siguiente viaje!

Dr. Ronald D. Siegel

Profesor Asistente de Psicología, Harvard Medical School.
Autor de *La solución Mindfulness. Prácticas cotidianas para problemas cotidianos.*

PREFACIO

"SOLO EL SANADOR HERIDO PUEDE SANAR".

CARL GUSTAV JUNG

Hace algunos años tuve la oportunidad de conocer el consultorio de Sigmund Freud, situado en la calle Berggasse al 19 en la ciudad de Viena, hoy conocido como Sigmund Freud Museum. Sinceramente, debo reconocer, aunque suene un poco *nerd*, que me encontraba muy emocionado: pensaba en que en ese mismo lugar había surgido la Psicoterapia, uno de los campos a los cuales dedico gran parte del día, y eso me despertaba gran curiosidad, incluso hasta una sensación de misterio. Seguramente porque me imaginaba a Freud sentado allí, atendiendo a sus pacientes y luego escribiendo durante horas, desarrollando su teoría. Si bien no me considero un psicoanalista, lo he leído durante años, porque siempre me provocaron intriga sus escritos.

Mientras me encontraba en ese lugar, con esa sensación tan extraña y agradable a la vez, unas palabras se cruzaron por mi mente: *hacer consciente lo inconsciente*. Palabras dichas por un profesor universitario durante el primer año de la carrera, que hacían alusión al objetivo general de una terapia psicoanalítica. Luego pensé que el objetivo de los psicólogos, al menos en una primera instancia del tratamiento, siempre tenía que ver con hacer consciente algo inconsciente, independientemente de las diversas teorías. Los modelos terapéuticos buscan que las personas incrementen su nivel de conciencia, y es exactamente por esa razón, que Mindfulness me ha resultado tan útil, en mi vida personal y en la profesional, para ayudar a otras personas.

No es que me esté esmerando en encontrar una relación entre el Psicoanálisis y Mindfulness, aunque puedo decirles que la hay, simplemente reconozco que la incorporación de esta disciplina en mi vida tuvo su fundamento teórico-práctico. Ampliar la conciencia sobre nosotros mismos, el mundo y las relaciones es una de las claves en el desarrollo de nuestra salud y bienestar emocional. Mindfulness nos provee herramientas, algunas más concretas, otras más filosóficas, que resultan esenciales para lograr estos objetivos.

Sin embargo, mi verdadero compromiso con la práctica emergió cuando me vi afectado por problemas de salud. No fue nada grato escuchar al neurólogo decirme: "El electroencefalograma (EEG) es el de una persona con epilepsia". Nunca había tenido problemas de salud y nada indicaba algún tipo de antecedente en mi historia que pudiera estar relacionado con ese diagnóstico.

Durante mi residencia en Salud Mental, atravesé períodos de mucho trabajo y carga emocional. Estaba en ese momento desarrollándome profesionalmente, pero la complejidad y la urgencia de muchas situaciones psicosociales que presentaban los pacientes que se acercaban al hospital no se hacían esperar. La falta de contención y supervisión de profesionales con mayor experiencia propiciaba un contexto en el que "quemarse" era algo no tan difícil.

El estrés hizo lo suyo y desencadenó una convulsión, pocas horas antes de iniciar un viaje de vacaciones al sur del país con mi familia. La falta de sueño y el exceso de horas de trabajo fueron los factores que activaron el estrés, y la consecuencia fue una severa convulsión que me hizo perder la conciencia y fracturar el hombro izquierdo.

El resultado de mi EEG había sido negativo; sin embargo, el misterio radicaba en la edad de mi vida en la que se había presentado la crisis, sin tener ningún tipo de antecedente relacionado a esta enfermedad, que a decir verdad, nunca me terminaron de diagnosticar, dado que algunos neurólogos sostienen que se requieren dos convulsiones mínimo para hablar de epilepsia.

Puedo decir que a partir de ese día mi vida cambió. Sin lugar a dudas, comencé a tomarme las cosas de otra manera, pero sobre todo, empecé a conectarme con las posibilidades y a indagar sobre las verdaderas causas de mi estrés. Y aquí es cuando Mindfulness cobró un papel esencial en mi historia personal: todo lo que sabía y había comenzado ya a practicar con mis pacientes empecé a experimentarlo en primera persona. Los aspectos filosóficos, la dimensión psicoeducativa y fundamentalmente los ejercicios prácticos de Mindfulness se convirtieron en un aspecto crucial de mi existencia.

Todos los estudios que me realizaron posteriormente lanzaron resultados positivos. Y a más de un médico le llamó la atención esto: en primer lugar, ningún antecedente ni señal relacionados a la epilepsia; de repente una crisis y un EEG equiparable al de una persona con esta enfermedad y finalmente cuatro estudios de control en los que no se manifestaba ningún indicador negativo. Déjenme aclararles que estoy muy convencido de algo: el cambio que realicé en el estilo de vida que llevaba modificó el funcionamiento de mi cerebro.

No soy la única persona en la que el estrés surtió un impacto negativo; por el contrario, podemos hablar de ciento de enfermedades y manifestaciones clínicas que se desencadenan a causa del estrés. Este es el motivo principal por el que comencé a tomarme a Mindfulness tan en serio; y el convencimiento de transmitirlo a otras personas no solo radica en la multiplicidad de investigaciones científicas que avalan su eficacia, sino fundamentalmente a que pude vivirlo en carne propia.

INTRODUCCIÓN

¿POR QUÉ ES NECESARIO UN PROGRAMA DE MINDFULNESS Y REGULACIÓN EMOCIONAL?

Las investigaciones y las neurociencias demuestran que la práctica de Mindfulness (atención o conciencia plena) puede ser positiva para diversas problemáticas (ansiedad, depresión, estrés, trastornos de alimentación, dolor crónico, etc.), como así también fundamental para crear rutinas de vida saludables, incrementando la experiencia de emociones positivas y el bienestar físico y psicológico. Son múltiples las causas por las cuales nos encontramos excesivamente "conectados" y permanecemos en un estado mental de "piloto automático": exigencias laborales, dificultades económicas, problemas emocionales y el creciente mercado de la tecnología en comunicación que se encarga de promover la hiperconectividad (celulares, tablets, redes sociales, etc.). La vida moderna crea unas condiciones a nuestro alrededor que no nos permiten sintonizar con nuestro cuerpo, nuestras emociones, nuestras relaciones. El Mindfulness viene a promover una tendencia opuesta, cuyos orígenes orientales se contraponen a las tendencias actuales que caracterizan la época que nos toca atravesar. Cuando comenzamos a estar presentes y logramos enfocar nuestra atención en lo que nos rodea –los otros, el planeta, nuestras actividades cotidianas (comer, descansar, caminar, etc.)–, interiorizamos la esencia de todo aquello y esto nos permite vincular de una mejor manera con el mundo y con nosotros mismos.

La práctica de Mindfulness nos da la posibilidad de "desenchufarnos" y tomar el mando de nuestro foco atencional, generando hábitos saludables y duraderos. Cuando comprendemos la manera en que nuestra mente, al operar automáticamente, puede ocasionarnos dificultades emocionales, entendemos la importancia de preguntarnos sobre nuestra relación con ella. Vivir el momento presente mientras interactuamos con nosotros mismos, los demás y el mundo, resulta clave si deseamos mejorar nuestro estilo de vida.

El programa Mindfulness y Regulación Emocional (MyRE) encuentra sus fundamentos en los autores y los referentes internacionales de mayor trascendencia. Consiste en una integración original de aspectos conceptuales y prácticos que nos permitirá acceder a un entrenamiento ideal para conocer los beneficios que implica el desarrollo de esta maravillosa habilidad que ya poseemos: la *atención plena*.

El programa Mindfulness y Regulación Emocional (MyRE) fue desarrollado con la finalidad de brindar a las personas una guía que les permita cultivar una *perspectiva mindful*, aprendiendo herramientas para aquietar la mente y gestionar las emociones. Las raíces del programa se apoyan en autores y prácticas con rigurosos fundamentos científicos, lo que garantiza su efectividad para trabajar síntomas de ansiedad, prevenir depresión, abordar el estrés, conocer las emociones y desarrollar una mirada compasiva del mundo. Consiste en un *todo armonioso* que integra aportes provenientes del MBSR (Mindfulness-Based Stress Reduction) desarrollado por Jon Kabat-Zinn; y el MBCT (Mindfulness Based Cognitive Therapy) de Segal, Williams y Teasdale; como así también la mirada científica de Daniel Siegel, los aportes psicoeducativos de la Terapia Cognitiva y los ejercicios de Mindfulness que propone Ronald D. Siegel en el abordaje de las emociones.

El programa MyRE fue desarrollado en PlenaMente, Centro de Psicoterapia y Mindfulness, en la ciudad de Santa Fe, Argentina, y es el resultado de muchos días de estudio, investigación y entrenamiento. Luego de haber demostrado su efectividad para introducir a cientos de personas en la práctica de Mindfulness, surge la idea de plasmarlo en este libro, el cual seguramente nos permitirá conocer mucho más acerca de nosotros mismos, haciéndonos reflexionar sobre aspectos trascendentales de nuestra vida. Lejos de ser un mero conjunto de técnicas, constituye una senda hacia el equilibrio emocional. Tampoco ofrece soluciones mágicas, los resultados que obtenga dependerán necesariamente de la energía que invierta en llevar adelante el entrenamiento, incorporando sus diversos aspectos conceptuales y prácticos (ambos igual de necesarios en la producción de hábitos saludables).

SOBRE LA SUPERVISIÓN PROFESIONAL A CARGO DE RONALD D. SIEGEL

Luego de presentarme y comentarle al Dr. Siegel, Profesor Asistente en Harvard Medical School, acerca de lo que veníamos trabajando y desarrollando en la ciudad de Santa Fe, se me ocurrió que él podía convertirse en el supervisor de las actividades de Mindfulness ofrecidas en el centro.

Una forma de comenzar, era enviarle por escrito la estructura y los contenidos del programa que yo había conformado en base a los referentes mundiales y expositores más importantes sobre el tema, el cual lo incluía por supuesto. Y ya que esos contenidos se volcarían en un libro, como previamente le había explicado, también su supervisión recaería sobre los contenidos conceptuales que se exponen a continuación. Para mi sorpresa, quien pasaría de ser el Dr. Siegel a "Ron" (luego de la confianza que me brindó), aceptó la propuesta y no demoramos en emprender el trabajo, como si la distancia entre la Argentina y Boston (Estados Unidos) no existiera en absoluto.

¿POR QUÉ MINDFULNESS ES EFECTIVO PARA REGULAR LAS EMOCIONES?

La regulación de nuestras emociones puede resultar el factor clave en la construcción de nuestra salud mental y el entrenamiento en Mindfulness nos provee las herramientas indispensables para lograrlo. Aprender a regularnos ante los estados afectivos negativos o desagradables parece ser lo más dificultoso, y es por eso que hacia el final del programa nos enfocamos puntualmente en tres emociones: ansiedad o miedo, tristeza y enojo. La totalidad del entrenamiento será imprescindible para conquistar la regulación emocional; sin embargo, detenernos en esas tres emociones nos brindará mayores recursos para conocerlas y trabajar con ellas.
Aumentar la conciencia de nuestras emociones nos permitirá identificarlas con mayor facilidad, lo cual supone un primer paso en la autorregulación. Mindfulness nos abre una puerta al entendimiento personal, al autoconocimiento y ese es el punto de partida para lograr la inteligencia emocional (Daniel Goleman). A lo largo del entrenamiento, aprenderemos también que la aceptación constituye otro aspecto central. Comprenderemos que la incomodidad es pasajera y que las emociones desagradables no deben necesariamente teñir toda la realidad.

La Regulación Emocional consiste en una habilidad interna mediante la cual podemos: 1) identificar y poner nombre a las emociones; 2) maniobrar su expresión para lograr nuestros objetivos; 3) tolerarlas cuando resultan displacenteras, sin que ello implique el colapso.

Al darnos cuenta de que nuestra mente emite juicios incesantemente, y que esos juicios determinan nuestras expresiones emocionales, advertiremos que la conciencia de nuestra propia mente, y el hábito de no juzgar, resulta uno de los componentes imprescindibles en la búsqueda del bienestar. Además observaremos que para lograr *estar en el presente*, es necesario ser conscientes de nuestra historia. Los condicionamientos que acarrea nuestra mente suelen ser los encargados de activar determinadas pautas emocionales, y en muchas ocasiones no responden a los sucesos del *aquí y ahora*, sino que más bien reaccionan al pasado. Finalmente, nos enfocaremos en cultivar la compasión, un modo esencial para lograr conexión con los otros y estar presente ante ellos. Darnos cuenta del nosotros otorga las bases para la empatía, la solidaridad y el bienestar mutuo.

"La meditación nos enseña a ignorar las distracciones y a enfocar nuestra atención en lo que queremos enfocarla... El simple hecho de prestar atención establece una conexión emocional en cuya ausencia la empatía es imposible".

Daniel Goleman

¿PRACTICAR MINDFULNESS ES LO MISMO QUE MEDITAR?

Algunas personas creen que practicar Mindfulness es lo mismo que meditar. Incluso puede entenderse que Mindfulness es una nueva forma de llamar a la meditación. En realidad, la meditación constituye un aspecto fundamental de Mindfulness, pero no es solo eso. De hecho, la meditación es un campo muy amplio, que alberga tradiciones, rituales y formas de las más variadas; Mindfulness se nutre de una serie de prácticas meditativas, entre las cuales algunas datan de miles de años.

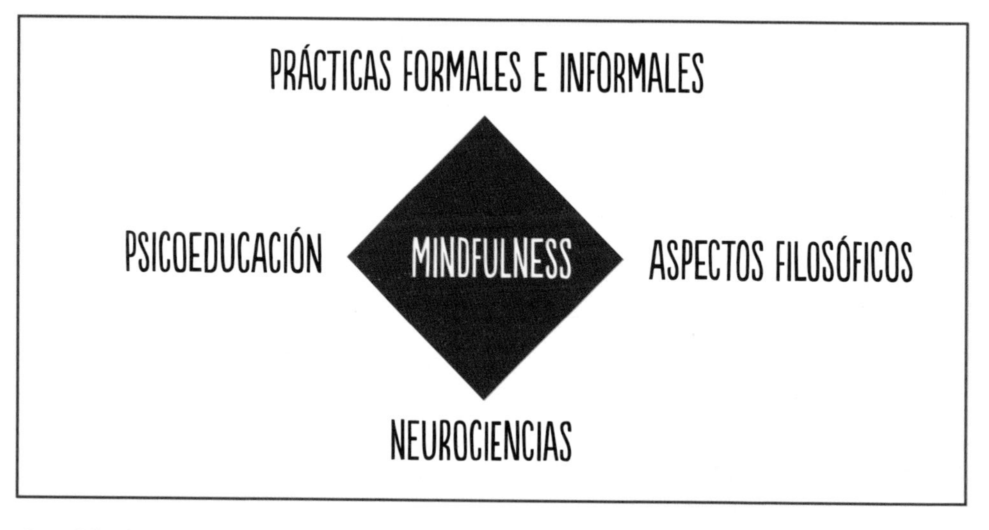

Considero que existen cuatro pilares que conforman la disciplina del Mindfulness:

1. Aspectos filosóficos: Mindfulness incluye una visión singular de comprender la realidad y comprenderse a uno mismo.

2. Psicoeducación: en este programa, como en tantos otros, se considera un grado de información proveniente del campo de la Psicología, la cual es transmitida para promover el autocuidado emocional.

3. Neurociencias: a partir de este pilar reconocemos los avances de la investigación neurocientífica para comprobar los efectos que produce Mindfulness en el sistema nervioso central. Pero además de ello, nos posibilita dar cuenta del funcionamiento de nuestro propio cerebro, por lo que otorgamos mayor sentido y fundamento a nuestro entrenamiento.

4. Prácticas formales e informales: sin este pilar, los otros tres carecen de sentido. La práctica formal se refiere al entrenamiento durante el cual dedicamos un tiempo exclusivamente para sentarnos a meditar y cultivar la atención plena, como si fuera un gimnasio para la mente. La práctica informal, en cambio, puede producirse mientras realizamos otras actividades, siempre que nuestra atención esté centrada en eso que estamos haciendo. Por ejemplo, podemos ir caminando y percatarnos de que nuestra mente se encuentra en cualquier lado, entonces decidimos devolver la atención al paisaje por el cual estamos transitando y a las sensaciones de nuestro cuerpo.

Los primeros tres pilares se asocian más a los aspectos conceptuales que revisaremos durante las siguientes 8 semanas; y por el contrario, el cuarto componente constituye el aspecto práctico. Esto no quiere decir que los aspectos conceptuales no tengan la potencialidad para generar cambios en nuestros hábitos. Aspectos conceptuales y prácticos conforman ambas caras de una misma moneda.

MINDFULNESS Y NEUROCIENCIAS

En una entrevista que realicé a Martín Reynoso, Coordinador del Área de Mindfulness en INECO (Instituto de Neurología Cognitiva, Buenos Aires) y de un Postgrado de Mindfulness en la Universidad Favaloro, le pregunté sobre los efectos que producía en el cerebro la práctica de Mindfulness, a lo cual respondió: “Las investigaciones más avanzadas o los reportes más contundentes fueron sobre cerebros de meditadores de larga data (monjes budistas). Se reconoció un aumento de sustancia gris en el cerebro, aumento en la estructura de ciertas partes. Es decir, que se desarrollan nuevas neuronas (neurogénesis) o nuevas conexiones neuronales. Se ven fortalecidas ciertas áreas que tienen que ver con funciones atencionales, regulación emocional, amabilidad y compasión para con uno mismo y los demás. Una investigación muy reconocida llevada a cabo en los Estados Unidos sugiere cambios en la corteza prefrontal izquierda, la cual está más asociada a las emociones altruistas o positivas. En dicha investigación se advirtió también la reducción del funcionamiento en zonas cerebrales mayormente ligadas a la ansiedad y el estrés”.

La investigación de la que hablaba Martín involucraba al reconocido neurocientífico Richard Davidson, de la Universidad de Wisconsin (Madison), quien luego de realizar pruebas con EEG (electroencefalograma), Escáner IMR (imagen por resonancia magnética) y TEP (tomografía por emisión de positrones) a monjes que llevaban más de 10.000 horas de entrenamiento formal a lo largo de sus vidas, concluyó sobre diversas modificaciones en la actividad cerebral durante la práctica de la meditación.

"Estoy convencido de que si la gente adoptara este tipo de prácticas y adquiriera el hábito de entrenar sus mentes e investigar en ellas, aprendería a asumir posturas emocionales más positivas. Es probable que de este modo pudiéramos inducir cierto tipo de cambios en nuestro cerebro y a la larga en nuestro cuerpo".

Richard Davidson

En primer lugar, le fue posible reconocer el incremento de las ondas cerebrales Gamma, que se asocian a la atención, la concentración, la autoconciencia y la comprensión de ideas. También observó un aumento en la frecuencia de ondas Alfa y Theta (las cuales se asocian a diferentes estados o niveles de relajación), y una disminución en la frecuencia de ondas Beta, mayormente asociadas al pensamiento activo y la resolución de problemas.

Además de ello, y luego de someter a un grupo de meditadores experimentados y a otro de novatos a estímulos emocionales negativos (a modo de *stress cerebral*), observó que los expertos manifestaban mayor capacidad para regular la actividad en la zona de la ínsula. Esta región cerebral en la que se encuentran mapeados los órganos viscerales se asocia con la función de recibir e integrar información proveniente de sensaciones corporales ligadas a procesos emocionales y cognitivos. Pero la ínsula no fue la única parte afectada, también se notaron alteraciones en la amígdala (espesamiento en dicha zona que se correlaciona con una reducción de la amenaza percibida) y en la confluencia temporoparietal, que estaría implicada en procesos relacionados a la toma de perspectiva de otras personas y al desarrollo de la empatía.

Al corroborar un incremento de actividad en la corteza prefrontal izquierda, vinculada al afecto positivo y la calma, y una disminución en zonas de la corteza prefrontal derecha, más asociadas a las emociones negativas y el estrés, descubrió también, junto a otros investigadores (entre ellos el mismo Jon

Kabat-Zinn) que Mindfulness alcanzaba un impacto en el sistema inmunológico. Aumentando el nivel de felicidad, las personas son menos vulnerables al virus de la gripe, ya que promueve que los linfocitos B destruyan los gérmenes mediante la liberación de anticuerpos.

Por su parte, Sara Lazar, neurocientífica del Hospital General de Massachusetts (Estados Unidos), describió en una comunicación TED (Cambridge) los cambios cerebrales que manifestaron algunas personas luego de realizar un programa de 8 semanas de meditación para reducir el estrés, advirtiendo lo siguiente:

"Fueron cinco las regiones cerebrales que cambiaron. Creció la llamada corteza cingular posterior, un área cerebral clave en el acto de prestar atención, que está relacionada con la reflexión y la autoestima. Otra área engrosada fue la del hipocampo, que es fundamental para la memoria y el aprendizaje. Otra fue la unión témporo-parietal, que está asociada con la empatía y la compasión. También la protuberancia anular, donde se producen neurotransmisores reguladores. También vimos cambios en la amígdala, que es la parte 'emocional' del cerebro, y aquí encontramos que hubo una disminución, ya que el tamaño de la amígdala se correlaciona con el nivel de estrés: a menor nivel de estrés, más chica se vuelve la amígdala".

"Los ejercicios diarios de Mindfulness mantienen el cerebro en forma; y como indican cada vez más estudios, mejoran la salud del cerebro y agilizan la mente. La sintonía interna y la sintonía interpersonal estimulan la actividad neuronal que conecta entre sí áreas diferenciadas, lo que a su vez estimularía la neurogénesis, la sinaptogénesis y la mielinogénesis, que crearía, literalmente, un conjunto de circuitos neurales más integrado".

Daniel Siegel

Ahora que ya conocemos los cambios benéficos que produce Mindfulness en la estructura y el funcionamiento de nuestro cerebro, y lo significativo que puede resultar para la gestión de nuestras emociones, quizás estemos más convencidos respecto de la posibilidad de comenzar con la práctica.

Describiremos el Programa de Mindfulness y Regulación Emocional paso por paso, lo que nos llevará unas 8 semanas.

CAPÍTULO 1
PRIMERA SEMANA DE ENTRENAMIENTO

MINDFULNESS

"LA FACULTAD DE DIRIGIR DELIBERADAMENTE NUESTRA ATENCIÓN ERRANTE, UNA Y OTRA VEZ, CONSTITUYE EL FUNDAMENTO MISMO DEL JUICIO, EL CARÁCTER Y LA VOLUNTAD. NADIE PUEDE SER DUEÑO DE SÍ MISMO SI CARECE DE ELLA. CUALQUIER EDUCACIÓN QUE MEJORE ESTA FACULTAD SERÁ UNA EDUCACIÓN *PAR EXCELLENCE*".

WILLIAM JAMES, *PRINCIPIOS DE PSICOLOGÍA* (1890)

ASPECTOS CONCEPTUALES

¿QUÉ ES MINDFULNESS?

Generalmente, la palabra Mindfulness se traduce al español como "atención plena" o "conciencia plena", y describe un estado de la mente que se caracteriza por observar el momento presente con imparcialidad, sin juzgar. Constituye una actitud frente a la experiencia, mediante la cual somos conscientes de lo que hacemos mientras lo estamos haciendo, rompiendo los automatismos y teniendo la capacidad para pensar y actuar según todas las posibilidades de las que disponemos. El entrenamiento de esta habilidad, si bien es introducido en Occidente gracias al esfuerzo de varios referentes, Jon Kabat-Zinn (médico y biólogo molecular) es quien logra su apuntalamiento en el campo de la salud, a partir de 1979 en la Universidad de Massachusetts (Estados Unidos).

Kabat-Zinn define a Mindfulness como la toma de conciencia no prejuiciosa, centrada en el presente y en cada momento, en donde cada pensamiento, sentimiento o sensación que aparece en el campo atencional es tenido en cuenta y aceptado tal cual es.

Los fundamentos de Mindfulness, pese a que son diversas las culturas que cultivan la conciencia plena, se encuentran esencialmente, y desde hace 2500 años, en las enseñanzas budistas. Pero no se preocupe, no quiere decir esto que deba convertirse al budismo; por el contrario, la práctica de Mindfulness se desarrolla en un contexto profesional y universitario. Es decir que, en general, todo lo descripto cuenta con aval científico, por lo cual sus creencias, sean cuales fueren, no tienen por qué entrar en conflicto con el entrenamiento.

La palabra anglosajona *Mindfulness* es equiparable en pali (lengua en que se escribieron las enseñanzas budistas) a la palabra *sati*, que puede traducirse como "conciencia, atención o recordar". Pero la palabra *recordar* no significaría en este caso evocar un recuerdo pasado, sino que haría alusión a "recordarnos estar en el presente" o "recordarnos prestar atención".

Mindfulness es una herramienta utilizada por la medicina y la psicología occidental como técnica de control del estrés y para el tratamiento de diversos trastornos psicológicos. Desde que surgió en Massachusetts, la práctica de

Mindfulness no hizo más que esparcirse por todo el mundo. Con el tiempo se fue integrando a nuevos campos (educación, empresas, deportes, *counseling*, etc.) y es utilizada para el abordaje de múltiples problemáticas.

Ser plenamente conscientes es disponer de la voluntad para dirigir la atención hacia aquello que estamos experimentando en este momento, es estar presente deliberadamente, evitando que nuestros propios pensamientos y emociones restrinjan el campo de posibilidades. Estar presentes nos abre a un estado de aproximación que facilita el afrontamiento de lo que nos toca vivir. Mindfulness es conciencia del presente, sin juzgar y con aceptación. Es el reconocimiento de nosotros mismos y de nuestro entorno, momento a momento. Es una habilidad que nos permite ser conscientes de nuestra mente, de nuestro cuerpo y de nuestras emociones; al mismo tiempo nos posibilita centrarnos en lo que estamos viviendo en el aquí y ahora. Mindfulness también es el entrenamiento que nos permite cultivar esta habilidad (y a eso nos dedicaremos en este programa).

Podemos pensar entonces que existen **tres dimensiones de Mindfulness**: en el presente, sin juicios y con aceptación. Las tres interactúan y se influyen entre sí:

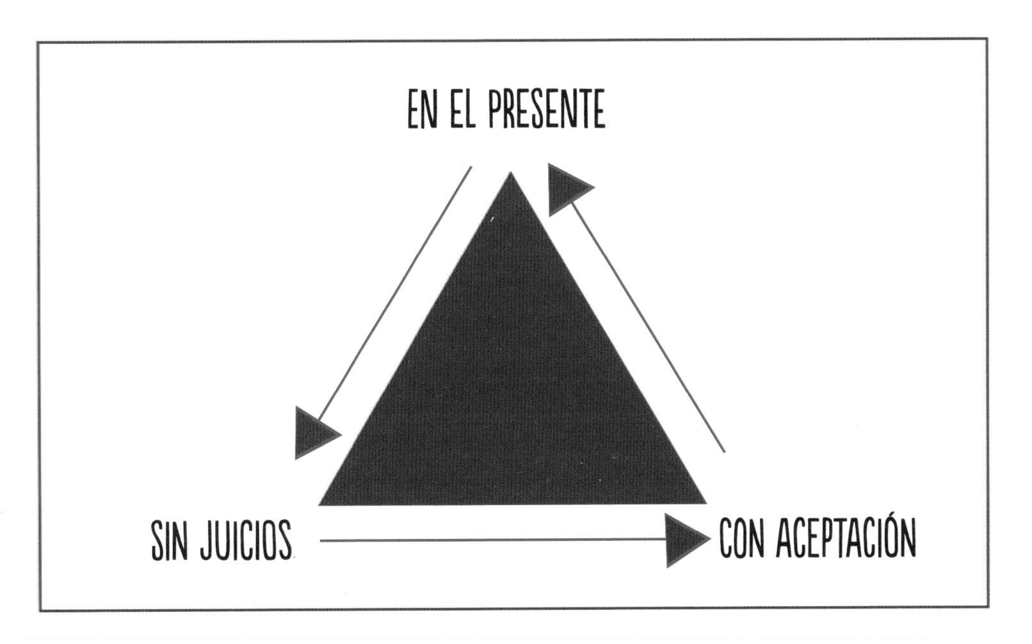

• Cuando estamos verdaderamente experimentando el **presente**, podemos desarrollar la capacidad de observar sin juzgar, porque no necesitamos condicionamientos mentales (prejuicios con base en el pasado o anticipaciones con base en el futuro) para evaluar la realidad.

- Si logramos **suspender los juicios** (dejar de atribuir adjetivos a la experiencia), nuestros sentidos ampliarán la posibilidad de conectar con la realidad tal cual es, aceptándola sin tener que agregar mente a eso que simplemente ocurre.

- Cuando **aceptamos**, la mente habita el presente, porque no necesita viajar a otro lugar, permitiéndonos ser y estar, aquí y ahora.

Ahora vamos a detenernos brevemente en cada una de estas dimensiones para comprender un poco más de qué se trata Mindfulness:

1) PRESENTE: la mente viaja en el tiempo, tendiendo la capacidad de ir hacia el pasado y el futuro. Claro está que esta posibilidad de nuestra mente ha sido esencial para la supervivencia de la especie. Como consecuencia de nuestra memoria, hemos podido almacenar aprendizajes para transmitirlos de generación en generación, lo que nos provee de una herencia que facilita la resolución de lo que podrían haber sido serios problemas en épocas previas: desde el combate con predadores hasta la implementación de una vacuna. También podemos proyectarnos hacia el futuro, tenemos la capacidad de anticiparnos a los sucesos antes de que ocurran, lo que resulta igual de importante para adaptarnos al mundo.

Juguemos un poco con la imaginación; nos encontramos ahora en una selva que conocemos desde hace ya un tiempo, y los peligros a los que nos enfrentamos pueden arrastrarnos hasta la muerte: no conseguir comida o ser devorados por un predador. Lo que hacemos para sobrevivir entonces es emprender un recorrido con la finalidad de recolectar alimentos. Si *recordamos* (viajamos al pasado) que un predador habita una determinada zona, podemos *planificar* (viajamos al futuro) un recorrido para no convertirnos en una presa fácil. Gracias a la memoria logramos realizar aprendizajes que sostendremos en el tiempo y nos facilitarán resolver nuevos problemas. Pensemos ahora en un ejemplo más actual y cotidiano: estamos ante la notebook y por iniciar la sesión en Gmail, debemos recordar la clave porque sino resulta imposible acceder a una información esencial para continuar con el trabajo. Una vez que abrimos la cuenta, proyectamos un *paper* que debemos entregar a los superiores de nuestro trabajo, reconociendo y trazando con astucia y previsibilidad cada palabra con la intención de que el escrito sea acertado. De esta manera, nuestra supervivencia se encuentra garantizada por el cerebro, quien nos permite desarrollar la capacidad de viajar en el tiempo. Y así reconocemos entonces que el problema de nuestra mente no tiene que ver con esta característica en sí, sino con el hecho de no volver al presente. La mente suele anclarse al pasado o al futuro, o bien ir de un lado hacia otro descuidando la percepción del *ahora*. Cuando nos anclamos al pasado, es probable que nuestras emociones puedan tener que ver más con la nostalgia, la angustia o los enojos. Cuando nuestra mente experimenta permanentemente el futuro, nuestras emociones estarán teñidas por la ansiedad, la preocupación o el miedo. Practicar Mindfulness es volver al presente, sin importar que nuestra mente viaje en el tiempo, y sin importar cuántas veces tengamos que realizar este movimiento: volver al presente, volver al presente, volver al presente. Sería frustrante creer que nuestra atención o conciencia puedan perdurar eternamente en el presente, puesto que sería negar la realidad de su naturaleza, asociada a estos viajes en el tiempo. Debemos aceptar esta característica de la mente.

La mente viaja en el tiempo, pero aprenderemos a devolverla al presente. Es posible recordar y luego volver al presente. También podemos proyectar y luego volver al presente. Habitando el presente elegiremos a voluntad cuáles son los viajes en el tiempo que deseamos realizar.

2) SIN JUICIOS: la mente emite juicios de manera continua. Y gracias a nuestro hemisferio cerebral izquierdo, tendemos a categorizar la realidad de un modo binario: bueno-malo, lindo-feo, agradable-desagradable, etc. De manera permanente rotulamos la realidad con adjetivos. Podemos afirmar, por ejemplo, que dar un paseo por el Museo del Louvre en París es hermoso porque alberga un sinfín de obras artísticas, incluida entre ellas *La Gioconda* de Leonardo Da Vinci. Sin embargo, también, aunque muchos vayan a estar en desacuerdo con lo siguiente, algunos pueden opinar que resulta un paseo espantoso y que prefieren ir al Parque de los Príncipes a ver un partido de fútbol del Paris Saint Germain. *Hermoso/espantoso* es una construcción de la mente, son modos de definir la realidad, lo que no quiere decir que esto sea la realidad.

La importancia de comprender esta idea no radica en que opinemos a favor o en contra del Louvre, puesto que ello no tendrá implicancias en nuestra salud. Ahora bien, lo trascendental resulta comprender que nuestra mente también emite juicios todo el tiempo sobre: los demás, nuestras relaciones, el futuro y fundamentalmente, nosotros mismos. Esto sí tiene serias implicancias en el cuidado de nuestra salud. Por ejemplo, en muchas ocasiones en que las cosas no nos salen como queremos, puede la mente jugarnos una mala pasada y activar juicios del siguiente estilo: "no sirvo para nada", "soy incapaz", "nadie me quiere". Le agregamos *mente* a los problemas y esto genera un aumento de dolor emocional. Pero lo más importante radica en llegar a comprender que los juicios que emite nuestra mente no necesariamente deben coincidir con la realidad, por más que así lo creamos sin siquiera cuestionárnoslo.

Por ello es importante que comencemos a hacernos dos preguntas esenciales: A) ¿Las coordenadas que emite nuestra mente sobre la realidad se equiparan a la realidad?; y B) ¿Nosotros somos nuestros pensamientos, emociones y sensaciones? Puede resultar chocante sobre todo la segunda pregunta, e incluso quizás en este preciso momento se esté formulando la siguiente interrogación: ¡¿cómo que yo no soy mis pensamientos?! La mente es una parte de nosotros y resulta esencial que nos preguntemos sobre la relación que tenemos con ella. ¿Me creo todo lo que ella me dice sin siquiera dudar? ¿Respondo y actúo siempre en base a sus suposiciones y conclusiones sobre la realidad? Ese pájaro carpintero o esa máquina de pensar que no se detiene, ¿soy yo o es solo mi mente? Mindfulness es conciencia de nuestra propia mente. Cuando logramos darnos cuenta de cómo funciona la mente, entendemos que podemos regularla, que está a nuestro alcance realizar movimientos y esfuerzos para que no sea ella la que domine nuestra vida. Dejar de lado la mente y reconectar con los sentidos como medio para apreciar el momento resulta clave para penetrar la realidad. Si dejo de juzgar, empiezo a observar con mayor detenimiento las cosas tal cual son. Esto me permitirá conocer, aprender, estar abiertos a las posibilidades, y sobre todo conectar con los demás y conmigo mismo. Observar al mundo, a las personas y a nosotros sin los adjetivos que emite nuestra mente y que carecen de fundamento real resulta una empresa difícil. La buena noticia es que esto es posible y solo es cuestión de entrenamiento.

Una ecuación fundamental para comprender el malestar que podemos ocasionarnos a nosotros mismos es la siguiente: dolor + mente confundida = mayor sufrimiento.

3) ACEPTACIÓN: lo primero que debemos aclarar es que aceptar no es resignarse. La resignación es entregarnos pasivamente y en contra de nuestra propia voluntad: no estamos de acuerdo con lo que nos sucede, pero tampoco estamos dispuestos a conectar con ello. Además la resignación puede darse aún en esas situaciones en las que existen variables que dependen de nosotros y podemos modificar. La aceptación, por el contrario, pasa por el reconocimiento de que existe el sufrimiento (incomodidad, dolor, emociones displacenteras, etc.) y de que muchas veces no podemos evitarlo; por tanto, nos abrimos a experimentarlo conscientemente. Lo cual tampoco tiene que ver con buscar el sufrimiento o con ser masoquista. En absoluto puede ser un objetivo de la *aceptación* la búsqueda del dolor; la finalidad es cultivar la paciencia necesaria para afrontar la experiencia que nos toque atravesar. Permanentemente nos encontramos esperando un momento mejor: si estamos trabajando puede que estemos pensando y esperando el momento de encontrarnos en casa; cuando estamos cocinando pensamos en estar cenando; cuando estamos cenando la mente se focaliza en el postre; y cuando estamos tomando un café la atención ya está pensando en esa serie tan interesante de Netflix. El problema de ello es que nos desconectamos del presente y perdemos gran parte de la vida real. La incapacidad para tolerar sensaciones desagradables o poco placenteras crea el terreno para que la mente se conduzca hacia otros lugares y tiempos, haciendo del momento presente un lugar habitado tan solo por nuestro cuerpo.

Aceptar no es resignarse, sino abrirse voluntariosamente a experimentar lo que habita en el momento presente, sea placentero o displacentero: pensamientos, emociones, sensaciones, situaciones, etc.

La aceptación de lo que ocurre en el momento, la apertura y la disposición a vivenciarlo íntegramente (mente y corazón plenos) nos liberan de dos estrategias que se encuentran en la base de muchos conflictos emocionales: la rumiación y/o la evitación.

"Este entrenamiento nos libera del dominio de dos procesos fundamentales que se encuentran en la raíz de la depresión y de muchos otros problemas emocionales: 1) la tendencia a rumiar, a dar demasiadas vueltas a las cosas o a preocuparse en exceso por algo, combinada con 2) una tendencia a evitar, suprimir o dejar de lado otras cosas".

John Teasdale, Mark Williams y Zindel Segal

DOS ESTRATEGIAS DE SUPERVIVENCIA QUE PUEDEN OCASIONARNOS SERIAS DIFICULTADES

1. LA RUMIACIÓN

Podemos afirmar que la rumiación consiste en una estrategia mental mediante la cual permanecemos indefinidamente en un determinado tema/problema; le damos muchas vueltas o nos preocupamos excesivamente. Considero que es una estrategia de supervivencia porque ante una instancia de vida o muerte puede resultarnos de mucha utilidad. Volvamos a representarnos ese paisaje selvático en el que podemos ser devorados por un predador o morir de hambre por falta de alimentos. Si la mente no se toma el asunto con seriedad, probablemente nos vaya a ocurrir lo peor. De igual forma en la actualidad, si no nos preocupamos ante una instancia compleja, como por ejemplo la de no contar con el dinero suficiente para cubrir gastos básicos y satisfacer necesidades primarias, nos veremos comprometidos en el cuidado de nuestra propia vida.

Ahora bien, el problema de este mecanismo mental, o estrategia de supervivencia, es cuando generalizamos su activación ante situaciones que no son de vida o muerte. La tendencia a *catastrofizar* y la preocupación excesiva no nos garantizan un nivel de vida más saludable; por el contrario, sostienen un nivel de estrés que puede volverse problemático. Si de cada inconveniente que surge en la vida interpretamos un acontecimiento de peligro, y el plazo de sostenimiento en nuestra mente es indefinido, la carga afectiva negativa será mucho mayor.

Puede que la estrategia de la rumiación nos haya sido de utilidad alguna vez, y por eso quizás aprendimos que mientras más nos preocupamos, mejor nos ocupamos de nuestros problemas. Este es un error del que muchas veces no somos conscientes. Enamorarse mentalmente de los problemas contamina la capacidad de ser y nos desconecta del presente.

Tanto la rumiación como la evitación pueden activarse inconscientemente ante situaciones de estrés, ocasionándonos un problema más grande.

2. LA EVITACIÓN: ¿SOLDADO QUE HUYE SIRVE PARA OTRA GUERRA?

Claro que ante situaciones de riesgo puede la evitación mantenernos a salvo. Mediante la evitación apartamos de la vida aquello que no pretendemos afrontar. Si me encuentro ante una situación que percibo como peligrosa, es probable que automáticamente active el sistema de *huida* (sistema que contribuyó en la supervivencia de la especie).

Incluso ante situaciones que no tienen que ver con un riesgo inminente para nuestra integridad psicofísica, la evitación puede salvarnos de un malestar. Supongamos que Luisa tiene fobia a las arañas. Cada vez que detecta un insecto de 8 patas en su campo perceptivo se aleja inmediatamente y se encarga de que otro haga el "trabajo sucio". La vida de Luisa no se ve afectada en lo más mínimo y puede continuar con su fobia sin penas ni glorias.

¿Cuándo se origina el problema? Si este mecanismo de supervivencia hace que una persona se aleje de sus objetivos vitales –es decir, lo que la hace feliz o es importante para ella–, ocasionándole de esta forma un problema más grave. Ejemplifiquemos: Sebastián pretende recibirse de psicólogo, pero los exámenes suponen el hecho de transitar un elevado nivel de ansiedad, lo cual le resulta muy fastidioso. Cada vez que se acerca la fecha de examen, por un motivo o por otro, acaba evitando la situación. Claro está, Sebastián se ahorra la experiencia de la ansiedad, lo cual resulta menos displacentero a corto plazo; sin embargo, se aleja de aquello que tanto anhela; en este caso alcanzar su título universitario.

No podremos dejar de temerle a aquello a lo que no nos enfrentamos. Por el contrario, la evitación constituye un mecanismo por el cual seguiremos temiéndole o rechazando lo que ya tememos o rechazamos, simplemente por el hecho de que no nos permite acercarnos a ello.

La práctica de Mindfulness nos permite responder conscientemente a los problemas, cultivando la capacidad de no reaccionar involuntariamente mediante la rumiación o la evitación.

ASPECTOS PRÁCTICOS

SOBRE EL DESARROLLO DE NUESTRA HABILIDAD *MINDFUL*

Es importante comprender que la habilidad *mindful* de la que dispongamos en la actualidad puede incrementarse con el entrenamiento; y de igual importancia es saber que el desafío de una mente plena es permanente. Algunas personas pueden introducirse fácilmente en la práctica de Mindfulness, y les resultará muy sencillo adquirir y sostener algunos aprendizajes. A otras personas puede costarles mucho más llevar adelante este tipo de prácticas. Algo es seguro: todos disponemos de esta habilidad *mindful*, que se entrena con tiempo y paciencia, y mientras más le dediquemos, mayores resultados obtendremos.

Algunos autores, como Daniel Siegel, hablan del *músculo de la atención*, manifestando que el acto de enfocar la conciencia se correspondería con el de un músculo cuando se contrae; y el acto de la distracción, con el del músculo cuando se relaja. Siguiendo esta metáfora, podemos advertir entonces que, si no pretendemos encontrarnos físicamente modelados o musculosos sin visitar el gym, tampoco debemos pretender desarrollar la capacidad de *estar presentes* sin entrenar a nuestros cerebros para ello.

Por otro lado, es necesario remarcar que el entrenamiento de Mindfulness también radica en el hecho de lograr progresivamente introducir modificaciones filosóficas en las formas de afrontar las diversas situaciones vitales que se nos presentan. Cuando integramos los aspectos conceptuales de Mindfulness a la manera de observar y reflexionar sobre nosotros y el mundo, se modifican inevitablemente muchos aspectos de nuestra experiencia cotidiana.

NO BUSCAREMOS LA RELAJACIÓN

Es importante comprender que a la hora de practicar Mindfulness no estaremos buscando la relajación. ¿Qué quiere decir exactamente esto? La relajación puede ser una consecuencia de entrenar: ¡y en ese caso bienvenida sea! Pero de ninguna manera debe ser nuestro objetivo a la hora de practicar. Si priorizamos el objetivo de relajarnos, puede que provoquemos un efecto paradójico, haciendo de la práctica algo frustrante.

Para comprender esta idea es interesante el cuento de ese maestro samurái que siempre atinaba al blanco cuando disparaba una flecha con su arco. Un día, el alumno frustrado le preguntó: ¿por qué siempre das en el blanco? ¿Cómo lo haces? ¿Por qué yo no puedo? Le resultaba una empresa difícil al inexperto, algo que pretendía con ansias y que no podía lograr. El maestro le respondió lo siguiente: tu problema es que tiras para dar en el blanco. Yo simplemente tiro por el hecho de tirar.

Lo anterior hace referencia a la no intencionalidad, una actitud relevante a tener en cuenta a la hora de practicar Mindfulness. Si entrenamos Mindfulness, debemos hacerlo para entrenar Mindfulness. Y de la misma manera el mensaje es para las personas que padecen insomnio. Mindfulness ha sido considerada una técnica eficaz para conciliar el sueño, ahora bien, si nuestro objetivo a la hora de practicar es dormirnos, puede que no produzca ningún efecto.

SOBRE LA POSTURA

En general, es importante que adoptemos una postura cómoda, ya sea sentados o tumbados. Si decidimos sentarnos, nuestra espalda debe estar recta, erguida, pero no rígida, con los hombros caídos.

Me gusta que los participantes del programa se encuentren cómodos, sobre todo al principio, para que les resulte más simple encarar la práctica y generen más adhesión. Creo que es esencial ir de menos a más, y para muchas personas, los ejercicios prolongados pueden resultar muy agobiantes al principio.

A medida que van pasando los días, y la experiencia se va incrementando, sugiero que adopten una postura sentada, ya sea en colchonetas con almohadones, sobre almohadones o en sillas, para incorporar una posición que predisponga mayormente a la atención y el despertar.

Jon Kabat-Zinn habla de adoptar una postura que encarne "dignidad", refiriéndose a la actitud con la cual nos aproximaremos a la práctica formal.

LO QUE PRACTICAREMOS ESTA SEMANA

Durante la primera semana, y en el resto de las semanas del programa MyRE, trataremos de practicar todos los días. Puede, sin embargo, permitirse un día de descanso a la semana.

Comenzaremos realizando los dos ejercicios que se mencionan a continuación. Entrenaremos, como mínimo, cada ejercicio una vez por día.

RESPIRAR: 15 MINUTOS DE MINDFULNESS

Empezaremos con este ejercicio básico centrado en la respiración. Cuando nuestra atención perdura en el acto de respirar, nos encontramos en el presente. No es la respiración lo importante en sí, sino nuestra propia atención. Sin embargo, la concentración en la respiración puede convertirse en ese refugio cercano al cual acudir en cualquier momento en que desee simplemente ser y estar.

Recuerde que no debe respirar de otra forma a como ya lo hace, y tampoco intente controlar su mente. La mente es una máquina que piensa y se distrae, no puede esperar algo diferente. Mediante el entrenamiento, logrará centrarse más, pero recuerde siempre al alumno del samurái que no atinaba al blanco.

En primer lugar, adoptaremos una postura cómoda. Puede ser tumbado de espalda o sentado. Si optamos por sentarnos, mantendremos la columna recta, pero no rígida, y dejaremos caer los hombros. Vamos a cerrar los ojos. En caso de sentirnos incómodos con los ojos cerrados, los dejaremos semiabiertos.

Registraremos nuestro cuerpo y seremos conscientes de las tensiones. Aflojaremos los grupos de músculos en los cuales sintamos mayor tensión.

Ahora nos concentraremos en como entra y sale el aire de nuestro cuerpo. No intentaremos controlar la mente, ni forzar la respiración. Respiraremos normalmente.

Cada vez que la mente se disperse con un sonido del exterior o con un pensamiento, intentaremos advertir la distracción y volver a centrarnos en el movimiento de inhalar y exhalar.

Percibiremos el modo en que entra y sale el aire del cuerpo. Si mil veces nuestra mente se distrae, mil veces nos volveremos a concentrar en la respiración.

Si la mente se distrae, no nos frustraremos. Por el contrario, agradeceremos que podemos darnos cuenta de ello, y simplemente intentaremos enfocar nuevamente.

Cada vez que nos demos cuenta de que la mente se ha alejado de la respiración, seremos conscientes de qué es lo que la apartó. Luego volveremos a enfocarla.

Simplemente, estamos con nuestra respiración. Experimentamos el "no hacer". Sostengamos la atención en la respiración, siendo conscientes de cómo entra y sale el aire del cuerpo.

Practicar Mindfulness es equiparable al momento en el que vuelvo a enfocar mi atención. No es un problema que me distraiga. El problema es que no pueda advertirlo. Cuando me doy cuenta de que mi atención se distrajo y la vuelvo a enfocar, estoy practicando Mindfulness.

EJERCICIO DE ESCÁNER CORPORAL

El ejercicio de escáner o exploración corporal es importante por diversas razones. En primer lugar, porque, al igual que en el caso de la respiración, mientras nuestra atención se encuentra en las sensaciones del cuerpo, nosotros permanecemos en el presente.

Por otro lado, podemos decir que es un ejercicio ideal para incrementar la conciencia de nuestro propio cuerpo, lo cual no es poca cosa. Por momentos nos olvidamos de que también somos cuerpo, o bien creemos que se encuentra escindido de nuestra psiquis. La realidad es que esa división es ficticia y todo lo que se vincula a nuestras emociones lo atravesamos con nuestro cuerpo. Es esencial para nuestra salud que lo podamos registrar: en muchas ocasiones no somos conscientes de que nuestro cuerpo nos duele o nos molesta, y menos aún tratamos de descifrar que los síntomas físicos pueden tener que ver con estrés o agobio emocional.

Por último, es esencial que practiquemos este ejercicio para los que vendrán luego. Debemos consolidar la práctica del escáner corporal si pretendemos avanzar con el entrenamiento. El siguiente ejercicio está basado en lo expuesto por Jon Kabat-Zinn en *Vivir con plenitud las crisis* (1990).

Acostémonos de espaldas en un lugar cómodo, como un colchón de goma en el suelo o en la cama, aunque debemos recordar que no queremos quedarnos dormidos, sino "quedarnos despiertos". Asegurémonos de estar suficientemente abrigados. Podemos cubrirnos con una manta o con una bolsa de dormir si hace frío en la habitación.

Cerremos suavemente los ojos. Sintamos cómo asciende y desciende nuestro estómago con cada inhalación y con cada exhalación. Dejemos pasar unos momentos sintiendo nuestro cuerpo como un "todo", de la cabeza a los dedos de los pies, la "envoltura" de nuestra piel, así como las sensaciones en los lugares en que el cuerpo está en contacto con el suelo o la cama.

Fijemos nuestra atención en los dedos del pie izquierdo. Al dirigir la atención a ellos, veamos si somos capaces de "dirigir" o encauzar también hacia ellos nuestra respiración, para sentir como si inhalásemos hacia los dedos del pie y exhalásemos desde ellos. Puede que tardemos un rato en conseguirlo; pero, para ello, puede servimos de ayuda imaginamos que la respiración desciende por todo el cuerpo, pasando de la nariz a los pulmones, siguiendo a través del abdomen y bajando por la pierna izquierda hasta llegar a los dedos del pie y, luego, volviendo hacia arriba y saliendo a través de la nariz.

Permitámonos sentir todas y cada una de las sensaciones de los dedos del pie izquierdo, tal vez distinguiendo entre unas y otras, y observando el flujo de sensaciones en esa zona. Si, por el momento, no sentimos nada, no importa. Permitámonos la sensación de "no sentir nada".

Cuando estemos preparados para dejar los dedos del pie izquierdo y continuar, realicemos una inhalación más profunda e intencionada que llegue hasta los dedos del pie y, al exhalar, permitamos a estos que se "disuelvan" en nuestro "ojo mental". Mantengamos la atención durante varias inhalaciones y exhalaciones, y luego, sigamos por tumo con la planta del pie, el talón, el empeine y el tobillo, continuando respirando hacia y desde cada zona al tiempo que observamos las sensaciones que experimentamos para, luego, dejarlas ir y continuar con la siguiente parte.

Al igual que antes, devolvamos la atención a la respiración y a la zona en que estemos concentrados cada vez que nos demos cuenta de que se ha desviado.

De esta forma, continuemos ascendiendo despacio por la pierna izquierda y por el resto del cuerpo mientras nos concentramos en la respiración y en las sensaciones de cada una de las zonas a medida que vamos llegando a ellas. A continuación, respiremos en ellas y dejémoslas ir.

Si nos encontramos con problemas para permanecer despiertos, intentemos llevar a cabo la exploración corporal con los ojos abiertos.

CAPÍTULO 2
SEGUNDA SEMANA DE ENTRENAMIENTO

¿SER O HACER?

"LO QUE MÁS ME SORPRENDE DEL HOMBRE OCCIDENTAL ES QUE PIERDE LA SALUD PARA GANAR DINERO, DESPUÉS PIERDE EL DINERO PARA RECUPERAR LA SALUD. Y POR PENSAR ANSIOSAMENTE EN EL FUTURO NO DISFRUTA DEL PRESENTE, POR LO QUE NO VIVE EL PRESENTE NI EL FUTURO. Y VIVE COMO SI NO TUVIERA QUE MORIR NUNCA, Y MUERE COMO SI NUNCA HUBIERA VIVIDO".

DALAI LAMA

ASPECTOS CONCEPTUALES

¿SER O HACER? ESA ES LA CUESTIÓN

Es fácil advertir que actualmente nos desenvolvemos en un mundo en el que se premia la hiperproductividad: el éxito es sinónimo de movimiento, la multitarea y la excesiva preocupación laboral son características que cotizan muy bien en el mercado empresarial, la permanente carrera del *hacer* mantiene a las personas de un lado hacia otro, y todos debemos estar colmados de objetivos, metas, actividades, planes y quehaceres. En este contexto social, el silencio, la calma y la quietud pueden ser mal vistos si no se justifican desde las horas de descanso o el esparcimiento. Mindfulness, por el contrario, nos invita a cultivar la capacidad del *no hacer*, que al mismo tiempo es hacerlo todo, tal como lo describe el mismo Jon Kabat-Zinn. El no hacer, o mejor dicho, el modo ser, puede ser visto como una forma de funcionamiento mental alternativa al *modo hacer*, y que nos servirá ante muchas circunstancias vitales.

Tal vez aprendimos a creer que siendo grandes hacedores nos alcanzaría para lograr el éxito, y por ello nos olvidamos de desarrollar esa parte de nosotros que se fundamenta en el ser/no hacer. Esta parte de la que hablamos guarda estrecha vinculación con la *habilidad mindful* que mencionamos en el capítulo anterior, y es cierto que algunos pueden tenerla más desarrollada que otros, pero lo que es seguro es que todos podemos entrenarla para sentirnos mejor con nosotros mismos y con el mundo.

El funcionamiento en *modo hacer* no es el único que debemos activar ante los acontecimientos de la vida con los que nos enfrentamos, es igual de importante que aprendamos a desarrollar el *modo ser*. Recuerdo cuando un paciente que es experto en Administración y vendedor de préstamos me dijo: "No estoy pudiendo relacionarme con ninguna mujer y me pone triste. Las estadísticas deberían apoyarme, porque ya probé con varias. Intento hacer lo necesario para concretar una relación y vincularme pero no me resulta". Hice comprender a esta persona que debía cambiar su marcha mental, alternando el *modo hacer* por el *modo ser*. Me había dado la sensación de que pretendía abordar un problema relacionado con sus emociones y su interior de la misma manera en que realizaba su ejercicio profesional: actuando para alcanzar objetivos según términos estadísticos.

Es que el *modo hacer* funciona de una manera particular: cuando notamos que existe una diferencia entre el lugar en el que estamos, y el que queremos estar, nuestra mente emprende una acción para anular esa diferencia. Supongamos que deseamos ganar cierta cantidad de dinero, y sabemos que para lograrlo debemos trabajar X cantidad de horas, pues bien, la mente iniciará una acción específica que nos permita cubrir las horas necesarias para ganar el dinero que deseamos.

El problema radica en que, cuando se trata de aspectos internos y emocionales, el *modo hacer* puede sernos de poca ayuda, o incluso ocasionarnos mayores pesares. A veces, aceptarnos como ya estamos puede ser el punto de partida para generar un cambio positivo en nuestras vidas.

"*No acción* simplemente significa permitir que las cosas sean y se desplieguen a su propia manera. Puede requerir un enorme esfuerzo, pero se trata de un esfuerzo sin esfuerzo, elegante y fundamentado, de una acción sin hacedor, cultivada a lo largo de una vida".

Jon Kabat-Zinn

Para comprender un poco más sobre estos dos modos de interactuar con la realidad, citaré a expertos autores de gran renombre internacional (Teasdale, Williams y Segal; 2015) que lograron describir muy bien la diferencia entre uno y otro.

MODO HACER /Orientado a la acción	MODO SER/Mindful
Vivir en piloto automático. La acción arranca cada vez que hay disparidad entre donde estamos ahora y donde queremos estar. Centrándonos exclusivamente en nuestros objetivos, raras veces nos detenemos para advertir lo maravilloso que nos rodea en el transcurso de nuestras vidas.	*Es intencional, no automático.* Esto significa que podemos elegir qué es lo que tenemos que hacer a continuación en vez de atenernos a nuestras rutinas instaladas. De este modo, podemos ver las cosas como si fuera la primera vez.

MODO HACER /Orientado a la acción	MODO SER/Mindful
Relacionarse con la vida mediante el pensamiento. Cuando nos enfrascamos en un pensamiento sobre la vida como si este fuera "la vida real" vivimos un paso por detrás de la vida y nos conectamos con ella indirectamente.	*Nos conectamos con la vida directamente*. La sentimos, la experimentamos, la conocemos íntimamente porque mantenemos con ella una estrecha relación. Disfrutamos la riqueza y las maravillas, siempre cambiantes, de la experiencia vital.
Habitar en el pasado y en el futuro. Nos sentimos como si verdaderamente estuviéramos en el futuro (ideas sobre cómo queremos que sean las cosas) o en el pasado (recuerdos sobre situaciones similares para ver qué guía pueden ofrecernos), y esto nos priva de experimentar la plenitud de la vida en el presente.	*Centrado en el presente*. La mente está abierta a todo lo que el universo pueda ofrecer. Podemos tener pensamientos sobre el futuro y recuerdos sobre el pasado, pero los experimentamos como parte de nuestra experiencia en el presente.
Evitar, escapar o eliminar las experiencias desagradables. La reacción automática frente a cualquier experiencia desagradable conlleva la evitación.	*Acercarse a todas las experiencias*. Se trata de un interés y una curiosidad natural por todas las experiencias, tanto si nos resultan placenteras, como poco gratas o indiferentes.
Necesitar que las cosas sean diferentes. Siempre centrados en la distancia entre lo que es y lo que debería ser, podemos tener la impresión de que, de alguna manera, nosotros o nuestras experiencias no acaban de alcanzar nuestros objetivos, que no somos nunca "lo suficientemente buenos". Esta sensación de insatisfacción puede convertirse fácilmente en autocrítica o en un juicio severo.	*Aceptar que las cosas sean como ya lo son*. Propicia una actitud de "aceptarnos" a nosotros mismos y a nuestra experiencia. No hay necesidad de que la experiencia se ajuste a nuestras ideas de cómo debería ser. Podemos sentirnos contentos con nuestras experiencias aunque no nos resulten agradables.

MODO HACER /Orientado a la acción	MODO SER/Mindful
Creer que los pensamientos son equiparables a la realidad. Considera los pensamientos y las ideas sobre las cosas como si fueran las cosas en sí.	*Comprender que los pensamientos son fenómenos mentales.* Cuando vemos los pensamientos como lo que son: procesos mentales pasajeros. Experimentamos los pensamientos como parte del flujo de la vida. Entran y salen de nuestra mente como las sensaciones, los sonidos, los sentimientos, etc.
Priorizar la consecución de objetivos. Acabar centrándonos infatigablemente en la consecución de objetivos y planes muy exigentes, con una especie de visión unidireccional que excluye todo lo demás, hasta nuestra propia salud y bienestar.	*Considerar necesidades más amplias.* Podemos equilibrar nuestros objetivos con una afectuosa y compasiva preocupación por el bienestar propio y ajeno. Valoramos la calidad del momento, en vez de centrarnos únicamente en el lejano objetivo que imaginamos

El objetivo ideal será encontrar un equilibrio entre el *modo ser* y el *modo hacer*, y para ello es importante que practiquemos Mindfulness. En un contexto sociocultural en el que se prioriza la acción orientada a conseguir objetivos materiales, la práctica de la meditación será un poderoso antídoto que nos mantendrá alejados del estrés y el vacío. Si verdaderamente pretendemos encarar nuestra salud como algo relevante y tenemos en cuenta que la vida son solo momentos, es hora de comenzar a entrenar nuestro cerebro en el arte de la contemplación consciente. Poder acercarnos a cualquier experiencia cotidiana con ojos de niños (como si fuese algo nuevo), conectando desde los sentidos, aceptándola tal como es, y con toda nuestra conciencia puesta en ella, es algo que inevitablemente cambiará nuestra manera de transitar por la vida, haciéndonos sentir más equilibrados, completos y armoniosos.

SOBRE EL PILOTO AUTOMÁTICO

En algunas ocasiones puede sucedernos que nos asombramos cuando retomamos la conciencia advirtiéndonos a nosotros mismos: "¿qué era lo que iba a hacer?" De repente nos damos cuenta del plan que habíamos trazado y redirigimos nuestras acciones hacia el objetivo. Supongamos que Sara se levantó para buscar un vaso de agua y de pronto su mente recordó el llamado que no hizo a su novio. Ahora se encuentra al lado del grifo de su cocina preguntándose qué la condujo hasta allí. Tras un instante logra retomar su plan y recuerda el vaso de agua. ¿Podríamos afirmar que Sara se dirigía hacia su objetivo con atención plena? Su cuerpo caminaba hacia la cocina, pero en dónde se encontraba su mente. Es bastante frecuente advertir que nuestro cuerpo anda por un lado y nuestra mente, por otro.

"Nuestra forma de mirar es automática y está sujeta a los hábitos, lo que significa que nuestra mirada es limitada y que, en ocasiones, no vemos ni olemos siquiera lo que se halla ante nuestras propias narices. Vemos, por así decirlo, con el piloto automático, dando por sentado el milagro de la percepción que acaba convirtiéndose en parte del sustrato inadvertido con el que nos ocupamos de nuestras cosas".

Jon Kabat-Zinn

Aunque pueda considerarse que en muchas circunstancias el *piloto automático* no sea algo realmente negativo para nuestras vidas, como en el ejemplo descripto anteriormente, lo cierto es que el saldo puede ser más grave de lo que creemos. Si nuestra mente es dirigida mecánicamente ante situaciones de estrés (tema que profundizaremos en el capítulo 4), puede que abusemos de modalidades de afrontamiento, como la rumiación y la evitación, que nos terminan generando mayor estrés. De ahí la necesidad de aumentar la conciencia frente a las situaciones dolorosas o no tan queribles.

Por otro lado, también es importante destacar el riesgo, incluso de vida, al que nos podemos someter cuando nos dirigimos como autómatas. Si nos encontramos manejando un coche por la ruta, y nuestra mente se encuentra en otro tiempo y lugar, nos exponemos a un escenario propicio para los accidentes. Es decir, que la práctica de Mindfulness no necesariamente debería ser considerada una técnica secundaria o complementaria en nuestras vidas, sino que su lugar podría ser primordial.

Lograr darnos cuenta de lo que sentimos a nivel emocional o físico es clave en la construcción de experiencias saludables. Nos ayuda a prevenir, e incluso a intervenir con más rapidez ante determinados padecimientos en los que ganar tiempo podría resultar esencial. Y además de todo ello, si logramos liberarnos del piloto automático, podremos considerar todas las opciones de las que disponemos, convirtiéndonos en seres más libres.

Mindfulness nos libera de hábitos mentales y conductuales que en muchas ocasiones pueden generarnos malestar o sufrimiento. En el caso de los pensamientos, es fundamental el rol que pueda ocupar la falta de conciencia. Es moneda corriente que ante situaciones difíciles o estresantes se activen pensamientos automáticos negativos, o juicios, que terminen empeorando nuestro estado de ánimo. Si aprendemos la capacidad para ser conscientes del momento en que esto suele ocurrir, podremos detener estos pensamientos a tiempo, ahorrándonos un malestar extra.

MINDFULNESS Y ALIMENTACIÓN

Alimentarse constituye un hábito cotidiano y necesario de nuestras vidas en el cual es fácil advertir la manera en que el piloto automático se hace presente. Comemos cuando trabajamos, mientras miramos televisión, al mandar un WhatsApp por el celular o entrando a Facebook. ¿Alguna vez nos preguntamos sobre la forma en que ingerimos los alimentos? ¿Los elegimos a conciencia? ¿Centramos nuestra atención en el proceso de cocción? ¿Conocemos cuáles son los alimentos menos saludables? ¿Cuidamos nuestro cuerpo cuando nos alimentamos? ¿Masticamos?

Es probable que nunca nos hayamos hecho ninguna de las preguntas anteriores, sin embargo, la ciencia nos señala la importancia de seguir unas pautas bien claras a la hora de alimentarnos. El campo de la Nutrición se asoció al de la *contemplación*, y el resultado se haya en múltiples programas de alimentación consciente en los que se enseña a comer. Sin querer exponer aquí uno de esos programas, lo que implicaría otro libro, resulta clave manifestar la importancia de la atención plena durante la alimentación.

"Exprese gratitud hacia los alimentos: estos alimentos son el regalo de todo el universo: la Tierra, el cielo, los numerosos seres vivos y mucho trabajo intenso y cariñoso. Comamos con atención plena y gratitud, para merecer recibirlos.

Aceptemos estos alimentos para nutrir nuestra hermandad y fraternidad, reforzar nuestra comunidad y alentar nuestro ideal de servir a todos los seres vivos".

Thich Nhat Hanh & Cheung

Mindfulness, además de advertirnos sobre la presencia del piloto automático, nos invita a comprender lo perjudicial que puede resultar para nuestra salud realizar esta actividad con escasa conciencia y por ende nos provee de herramientas para generar una modalidad distinta de comer.

"Somos muchos los que empleamos la comida para satisfacer alguna carencia emocional, en especial cuando nos sentimos nerviosos o deprimidos".

Jon Kabat-Zinn

También es importante destacar lo entrelazadas que a veces se encuentran las necesidades emocionales y alimentarias. Puede resultar habitual ante situaciones de estrés o angustia, que el proceso de alimentación sufra alteraciones:

- Comer más de lo que nuestro cuerpo requiere.
- Llevarnos porciones grandes a la boca.
- No masticar como se debe.
- Ceder a impulsos o atracones.

Es probable que cualquiera de estas conductas sea ejecutada en modo automático. Si aumentamos la conciencia sobre nuestro cuerpo, nuestras emociones, nuestros hábitos alimenticios, será más fácil corregir y encarar los problemas según su índole, separando la ansiedad del hambre y dejando de lado la conducta errónea de la *alimentación inconsciente*.

"Necesitamos detenernos, descansar y reflexionar de forma constructiva para poner fin a los hábitos que han desembocado en nuestros actuales problemas. Hemos de ser plenamente conscientes de lo que ocurre en nuestra vida diaria. Solo entonces podremos empezar a cambiar".

Thich Nhat Hanh & Cheung

ASPECTOS PRÁCTICOS

INVITACIÓN A LA REFLEXIÓN

Leamos nuevamente el cuadro que describe el *modo ser* y el *modo hacer* y respondamos las siguientes preguntas. Es importante que reflexionemos sobre cada una de ellas con detenimiento y conciencia plena, analizando la manera en la que nos desempeñamos durante la vida cotidiana.

¿Con qué modo de funcionamiento paso la mayor parte del día?

___

___

___

¿Qué cantidad de horas funciono en modo hacer? ¿Qué cantidad de horas funciono en modo ser?

___

___

___

¿Acostumbro a creer que el modo hacer me basta para lograr la felicidad?

___

___

___

¿Por qué creo que podría ser útil cultivar el modo ser?

___

___

___

¿De qué maneras se manifiesta el piloto automático en mi vida? ¿En qué momentos? ¿En qué lugares?

___

___

___

EJERCICIO DE LA PASA DE UVA

La siguiente práctica tiene por objetivo cultivar la capacidad de alimentarnos con atención plena. De esta manera, no solo advertiremos la presencia habitual del piloto automático en nuestras rutinas (y las diferencias entre *comer mindful* y hacerlo sin conciencia), sino que nos proveerá la posibilidad de crear un hábito saludable. Ser conscientes de la relación que llevamos con la comida puede cambiarnos la existencia.

A propósito de esto, no son pocos los participantes del programa que suelen comentarme sobre los cambios de hábitos que introducen en sus vidas en relación a la alimentación.

En primer lugar, vamos a tomar una pasa de uva y nos vamos a sentar en una posición cómoda. Con la columna erguida pero no rígida. Colocaremos la pasa de uva en la palma de nuestra mano y centraremos la atención en la experiencia de ver lo que hay en ella. Examinemos la pasa de uva como si jamás hubiésemos visto una antes. Quizás podamos observar el impacto de la luz en ella, las sombras, las protuberancias o las arrugas de su superficie. Algunas de sus partes pueden verse apagadas y otras, en cambio, brillantes. Deje que sus ojos la exploren con todo detalle. Quizás tomándola con el dedo pulgar e índice, y girándola para verla desde todos los ángulos.

Mientras está concentrado en ello, es posible que aparezcan pensamientos del estilo: "que extraño me resulta esto que estoy haciendo" o "¿qué sentido tiene?". En ese caso, nos limitaremos a advertir que no son más que pensamientos o juicios que emite mi mente y trataremos de volver a enfocarnos en la experiencia de contemplar la pasa de uva.

Ahora cierre los ojos, y mientras la sostiene preste toda su atención a la experiencia del tacto, sintiendo la pasa. Somos conscientes si tiene alguna parte pegajosa o suave, haciéndola girar entre los dedos para percibir las partes blandas o ásperas.

Ahora, lentamente, acerque la pasa de uva a su nariz y manténgala allí. Inhale su aroma y sea consciente de lo que percibe. En el caso de no sentir ningún aroma, también sea consciente de ello.

Prepárese para llevar la pasa de uva a su boca, siendo consciente de los movimientos de su brazo. Póngase la pasa de uva en la boca. Déjela en la lengua y que permanezca en la boca, sin masticarla. Sienta si se produce algún cambio en su boca. Explore las sensaciones de tener la pasa en la lengua. Puede moverla dentro de su boca, hacia los lados y el paladar. Luego coloque la pasa de uva entre

sus dientes, muérdala lentamente y empiece a masticarla, sintiendo cualquier sensación de sabor que se produzca. Sea consciente de los cambios en la consistencia de la pasa. También sea consciente de las sensaciones previas a tragar la pasa de uva y durante el momento en que la traga.

Finalmente, sea consciente de que tuvo una pasa de uva en la boca.

CONCENTRADOS EN UNA ACTIVIDAD DIARIA

Para comenzar a dirigir nuestra atención plena en la cotidianidad mediante la práctica informal, durante esta semana también elegiremos una actividad diaria que generalmente solemos realizar en estado de piloto automático e intentaremos llevarla a cabo con conciencia. Puede ser cepillarse los dientes, bañarse, sacar la basura o cualquier otra que se le ocurra.

Lo haremos todos los días, y preferiblemente es mejor que sea la misma actividad durante cada día de la semana. Recuerde, cada vez que su mente se distraiga, lo importante será advertirlo para volver a enfocar la atención en aquello que está haciendo.

"Meditar es sinónimo de practicar la no acción. No practicamos para conseguir que las cosas sean perfectas ni para lograr hacer las cosas a la perfección. Más bien practicamos con el fin de comprender y experimentar de forma directa que las cosas ya son perfectas, tal como son".

Jon Kabat-Zinn

CAPÍTULO 3
TERCERA SEMANA DE ENTRENAMIENTO

EN EL PRESENTE

"EL CAMINO QUE HE HALLADO PERMITE VIVIR CADA HORA DEL DÍA CON PLENA CONCIENCIA, CON LA MENTE Y EL CUERPO EN EL MOMENTO PRESENTE. LO CONTRARIO ES VIVIR EN LA DISTRACCIÓN. SI VIVIMOS EN LA DISTRACCIÓN, NO SABEMOS QUE ESTAMOS VIVOS; NO EXPERIMENTAMOS PLENAMENTE LA VIDA PORQUE NUESTRA MENTE Y NUESTRO CUERPO NO ESTÁN EN EL AQUÍ Y AHORA".

THICH NHAT HANH

ASPECTOS CONCEPTUALES

ESTAR PRESENTES Y EL PLANO DE LAS POSIBILIDADES

Daniel Siegel es un médico psiquiatra y pediatra egresado de la Universidad de Harvard. Actualmente es el referente de Mindfulness en la UCLA (Universidad de California en Los Ángeles) y es autor de varios libros, algunos de ellos verdaderos *best sellers*. En este capítulo voy a centrarme en explicar un concepto que desarrolla sobre lo que realmente significa *estar presentes*, y que disfruto abordar en las sesiones de Mindfulness con mis alumnos y pacientes.

Supongamos que el universo está hecho de probabilidades (idea extraída de la Física Cuántica), por lo que todo es posible y nada está determinado. Pero a medida que pasa el tiempo, las posibilidades se reducen a probabilidades; y las probabilidades a picos de activación; es decir, a lo que sucede realmente en un tiempo concreto. El cuadro de aquí abajo, imitado de un libro de Daniel Siegel, nos servirá para representarnos mejor la idea de lo que significa estar presentes.

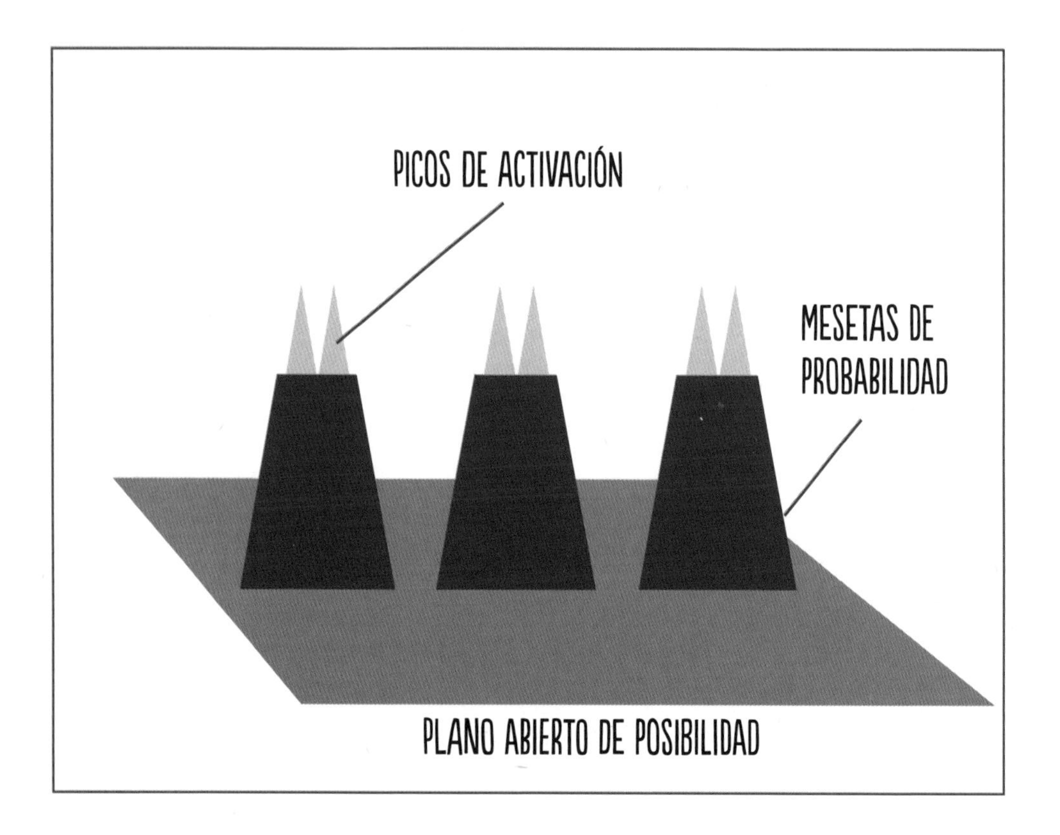

Consideremos a un joven que termina la escuela secundaria y debe elegir una carrera universitaria para comenzar a estudiar. ¿Cuáles son las posibilidades? Pues que estudie cualquier carrera, ya que todo es posible (plano abierto de posibilidad). Sin embargo, a medida que pasa el tiempo, este joven se conecta con sus intereses y aptitudes, y decide que lo suyo se encuentra en el campo de las Humanidades y Ciencias Sociales. Ahora las posibilidades se redujeron a probabilidades (meseta de probabilidad). El tiempo continúa pasando, acude a una orientadora vocacional y finalmente se activa una realidad efectiva en el tiempo: comienza la carrea de Psicología (pico de activación).

Veamos otro ejemplo, para que nos quede más claro. Me levanto por la mañana y observo que existe la posibilidad de dirigirme a mi consultorio para atender pacientes y enseñar Mindfulness. Pero también considero la posibilidad de no ir, porque quizás no me encuentro muy animado, o porque quisiera ir a beberme un café al centro. Pienso un rato con mayor claridad y extiendo aún más las posibilidades. Soy consciente de que quizás también podría dejar la Psicología e irme a una playa no muy lejana con todo lo que tengo e iniciar una nueva vida frente al mar. Me pregunto si es esto realmente posible, y me respondo que sí, es posible. Pero elijo dirigirme a mi consultorio porque lo creo más conveniente.

"La presencia sería el movimiento flexible de ida y vuelta entre el plano, las mesetas y los picos, cuando transitamos de la posibilidad a la probabilidad y luego a la activación, y volvemos a bajar hasta la posibilidad. La presencia tendría que ver con este movimiento abierto y flexible en el tiempo".

Daniel Siegel

Para Daniel Siegel, el concepto de *estar presentes* tiene que ver directamente con abrirnos a las posibilidades, sin estancarnos en los picos de activación. Es frecuente que dejemos de contemplar las posibilidades con las que contamos, sintiéndonos en muchas ocasiones prisioneros de nuestra propia realidad. El punto es que la prisión se encuentra en nuestra propia mente. Al ser conscientes de las posibilidades, podemos recuperar la libertad que tendemos a perder cuando nos ponemos a nosotros mismos entre la espada y la pared.

Siempre me gusta dar el ejemplo de Viktor Frankl, médico psiquiatra que soportó en carne propia la adversidad al vivir en un campo de concentración durante la Segunda Guerra Mundial. Pese a las numerosas pérdidas que sufrió y al dolor de dicha experiencia, reconoció una y otra vez que nunca le terminaron de arrebatar su libertad. Aun encontrándose encerrado en ese verdadero infierno, advirtió que siempre pudo elegir la actitud con la cual tomarse ese tramo de su vida.

"El hombre puede conservar un vestigio de libertad espiritual, de independencia mental, incluso en las terribles circunstancias de tensión psíquica y física. Si no está en tus manos cambiar una situación que te produce dolor, siempre podrás escoger la actitud con la que afrontes ese sufrimiento".

Viktor Frankl

Ante situaciones mucho más leves, solemos creer que no contamos con opciones; y cuando esto sucede, dejamos de ver las posibilidades, dejamos de estar presentes y nos estresamos, porque consideramos que hemos perdido el control de nuestras vidas.

Es importante advertir que los picos de activación pueden autoperpetuarse de diferentes maneras (hábitos, pensamientos automáticos, conductas, sentimientos, rasgos de la personalidad, etc.), impidiendo la conexión con las posibilidades. Si perdemos de vista las posibilidades, ya fuese por cualquiera de esas formas de activación, dejaríamos de estar en el presente.

REACTIVIDAD VS. RECEPTIVIDAD

Para detectar los estados que impiden la apertura a las posibilidades y el presente, será fundamental que aprendamos a reconocer la diferencia entre reactividad (cerrarnos) y receptividad (abrirnos); y para esto, Daniel Siegel propone un experimento que utilizo en mis clases de Mindfulness.

A continuación mencionaré una lista de palabras. Cierre los ojos y trate de conectarse con lo que las palabras le generan en el plano emocional y de las sensaciones corporales. No necesariamente sienta grandes cosas, pero es importante que se conecte con lo que las palabras le sugieren, por ínfimo que esto sea.

No, no, no, no, no, no, no, no, no, no, no.

¿Qué sintió? En general, las personas perciben una sensación de rechazo, negatividad, tensión, opresión o algo semejante.

Repetiremos el experimento ahora, pero con otra lista de palabras. Trate nuevamente de cerrar los ojos y conectarse con lo que suscita en su interior.

Sí, sí, sí, sí, sí, sí, sí, sí, sí, sí, sí.

¿Cómo describiría ahora lo que sintió? Luego de esta lista, las personas mencionan haber experimentado optimismo, seguridad, positividad, apertura, etc.

Independientemente de las características subjetivas de cada descripción, todas las personas perciben la diferencia entre lo que sienten con la primera lista y la segunda. Y aquí radica el objetivo del experimento, en lograr darnos cuenta del contraste en nuestro cuerpo entre reactividad (que fue lo vivenciado ante la lista de "no") y receptividad (lo experimentado con la lista de "sí").

¿Por qué es tan importante ser conscientes de esta diferencia? Cuando logramos darnos cuenta de que nos encontramos en un estado de reactividad (por ejemplo, al experimentar una emoción negativa), también somos conscientes de que no podemos abrirnos a las posibilidades. La reactividad sesga nuestro foco atencional, impidiendo ver las opciones que la realidad manifiesta en un momento determinado. En cambio, cuando nos encontramos en un estado de receptividad, ligado a la seguridad de creernos a salvo, nuestro cerebro se abre a las posibilidades, contemplando el presente tal cual es y cultivando la capacidad de responder creativamente.

EL CEREBRO REQUIERE SEGURIDAD

Resulta fundamental conocer la forma en que funciona nuestro cerebro para que comprendamos un poco más sobre la apertura a las posibilidades y la conexión real con el presente. Y en este caso, debemos aclarar que, para lograr conectar con nosotros mismos y los otros es necesario que el cerebro experimente una sensación de seguridad. Imagínese tratando de percibir las posibilidades del presente si ahora mismo está usted creyendo que alguien podría hacerle daño. Su mente se focalizaría únicamente en la acción de mantenerse a salvo o de protegerse.

A continuación, una síntesis de siete puntos sobre la explicación que Daniel Siegel propone para abordar este tema y que resulta muy esclarecedora para las personas que realizan el programa de Mindfulness y Regulación Emocional:

1. Estar presentes depende entonces de la sensación de seguridad, que está condicionada por las experiencias pasadas que tenemos respecto de la satisfacción de las necesidades básicas de amor y cuidado.
2. El cerebro vigila continuamente el medio externo e interno en busca de señales de peligro.
3. Cuando el cerebro detecta un peligro o riesgo, nos sitúa en un estado de alerta, y activa la respuesta de lucha-huida-paralización. Sería muy difícil, por ejemplo, estar presentes cuando pensamos que alguien nos puede hacer algo malo.
4. Cuando creemos que algo nos amenaza, salimos del estado abierto de presencia receptiva y entramos en el estado reactivo de lucha-huida-paralización.
5. Las respuestas de lucha o huida estrechan el foco de la atención, que se centra en hallar estrategias de ataque o vías de escape.
6. Esta focalización de la atención impide la apertura al "estar presentes" y nos llena de probabilidades sesgadas o de activaciones fijas.
7. La sensación de peligro nos impide activar nuestros sistemas de interacción social y de autointeracción. Y así es como pasamos de la receptividad a la reactividad.

Lo cierto es que la reactividad puede estar fundamentada en el presente, y entonces se considera necesaria y fundamental para la supervivencia. Si nos encontramos en peligro, nuestra atención se focaliza en el riesgo y actuamos para defendernos. El problema es cuando la reactividad no encuentra un fundamento en el presente, sino en el pasado. En muchas ocasiones nuestra mente condicionada activa ciertos picos (hábitos, emociones, pensamientos, etc.) que en realidad responden a situaciones traumáticas del pasado, impidiendo que veamos las posibilidades reales del momento presente.

LO TRAUMÁTICO

Cuando hago mención a *lo traumático* no me refiero exclusivamente a sucesos de abuso o violencia, sino a cualquier situación de nuestra historia a la que no pudimos hacer frente de un modo adecuado, y por la cual nos vimos superados, dejando en nuestras memorias una huella negativa y difícil de borrar.

"Las experiencias pasadas, sobre todo los traumas sin resolver, limitan las mesetas y crean unos estados que influyen en la capacidad de evaluar diversas situaciones. Estas mesetas filtran la información de una manera concreta y hacen más probables ciertas acciones o interpretaciones. Desde una meseta concreta pasamos a un conjunto de picos. Si alguien tiene un historial de trauma, su sistema pasará rápidamente de la posibilidad abierta a la tendencia, a la probabilidad y la activación, quedando es un estado de vulnerabilidad muy alejado de la presencia".

Daniel Siegel

Lo que Daniel Siegel nos quiere decir es que "quien se quema con leche, observa una vaca y llora". Lo que resultó traumático para nosotros, nos impide en la actualidad conectarnos con el presente. Por ejemplo, puede que nuestro cerebro reaccione en piloto automático a situaciones neutrales del presente, como si lo hiciera en realidad ante sucesos amenazadores del pasado. En ese caso, dejaríamos de observar las posibilidades reales del presente, desligándonos de él y sesgándolo. Cuando no logramos observar las posibilidades, perdemos de vista el presente: *la realidad tal cual es.*

Supongamos ahora que Juan Carlos sufrió una situación de infidelidad. En varias ocasiones en las que su antigua pareja se marchaba de su hogar, no lo hacía para trabajar sino para engañarlo. Actualmente Juan Carlos logró formar una nueva pareja, sin embargo se encuentra con el siguiente problema: cada vez que ella se marcha con sus amigas, él cree que ella puede estar engañándolo. Sin dudas esto trae aparejado ciertas circunstancias. Él comienza a tener ciertas conductas de control, como llamar a su pareja a cualquier hora preguntándole qué es lo que está haciendo, y además le reprocha que seguramente le esté siendo infiel. Se suma entonces a la situación un conjunto de peleas y disgustos que resultan difícil de manejar para la pareja, llevándola hasta el agotamiento y la ruptura.

Juan Carlos no puede observar las posibilidades del presente y su interpretación de la realidad actual (la cual se dispara automáticamente) está condicionada por su experiencia pasada. Ahora bien, creo que la pregunta del millón es: ¿cómo lograremos conectar con el presente si cargamos con una mente condicionada por nuestras experiencias pasadas? Practicar Mindfulness es una de las respuestas a esa pregunta; volver a las posibilidades una y otra vez, aumentando la conciencia de nosotros mismos y del mundo.

ASPECTOS PRÁCTICOS

REFLEXIONAR SOBRE NUESTRA HISTORIA

Considerando la importancia de reflexionar sobre nuestra propia historia, para diferenciar los estados de reactividad que puedan estar ligados al pasado, y que nos impiden conectarnos con el presente y las posibilidades, trataremos de responder algunas preguntas. Es importante que nos tomemos un tiempo para pensar, tranquilos y atentos en ello. Las preguntas han sido extraídas de un instrumento de evaluación llamado *Entrevista sobre el apego para adultos*, y nos abrirán una puerta importante hacia la introspección y el entendimiento personal.

¿Cómo fue crecer en nuestra familia? ¿Quién estaba con nosotros en casa?

____

____

____

¿Qué palabras usaría para describir a su madre, su padre, y/o a cualquier otra figura de apego de nuestra infancia? ¿Cómo era su relación con ellos cuando usted era chico/a?

____

____

____

¿Con quién estábamos más unidos y por qué? ¿Qué sentimos la primera vez que nos separamos de nuestros padres u otros cuidadores? ¿Qué sintieron ellos durante esa separación?

____

____

____

¿Qué hacíamos cuando estábamos disgustados? ¿Qué ocurría cuando estábamos enfermos, nos habíamos hecho daño o estábamos angustiados? ¿Sintió alguna vez que sus padres no lo entendían? ¿Cómo ejercían disciplina? ¿Cómo reaccionaban sus padres frente a sus logros?

___

___

___

___

¿Cómo era con los amigos cuando era chico? ¿Jugaba con niños fuera de su familia? ¿Tenía amigos durante la educación básica? ¿Tuvo un mejor amigo?

___

___

___

___

¿Alguna vez tuvimos miedo de quienes nos cuidaban? ¿Cómo cambió con los años la relación con estas personas?

___

___

___

___

¿Murió alguien cuando éramos niños o más adelante? ¿Desapareció de nuestra vida alguien con quien estábamos muy unidos? ¿Cómo vivimos estas pérdidas y qué impacto tuvieron en nuestra familia?

___

___

___

___

¿Seguimos estando unidos a quienes nos cuidaron? ¿Por qué creemos que actuaron como lo hicieron?

___

___

___

¿Qué influencia tuvo en nuestro crecimiento como adultos todos los factores que examinamos en estas preguntas?

___

___

___

Finalmente, sería importante preguntarnos:

¿Cómo creemos que las experiencias atravesadas en el pasado influyeron en los actuales sentimientos de seguridad y apertura? ¿Cómo creemos que impactaron en las interpretaciones que tendemos a hacer de nuestras relaciones? ¿Cómo influyeron en la "reactividad" que a veces demostramos en nuestros vínculos?

"Reflexionar sobre nuestra historia de apego es fundamental para observar la arquitectura interna de nuestra mente y modificarla para que adquiera seguridad. Lo que en el pasado quizás fue una realidad dolorosa, puede convertirse en una lección de la que aprender en el presente. La ciencia nos dice que no tenemos por qué ser prisioneros del pasado, podemos entender nuestra vida y liberarnos".

Daniel Siegel

RESPIRO DE TRES MINUTOS

Para continuar con la práctica formal de contemplación, añadiremos al entrenamiento un ejercicio llamado "respiro de tres minutos", que tiene la

particularidad de desarrollarse fácilmente en diferentes y diversos espacios de tiempo durante la cotidianidad de nuestros días. Está basado en un ejercicio expuesto en *Terapia Cognitiva de la Depresión basada en la conciencia plena* (Teasdale, Williams y Segal, 2002). Y es que justamente la minimeditación que presentaremos a continuación fue creada con el objetivo de llevar pequeñas partes de la práctica formal de Mindfulness a la vida diaria. Recuerde que debe practicar este ejercicio durante tres minutos aproximadamente, al menos tres veces al día, durante toda la semana.

Comience por adoptar deliberadamente una postura cómoda, y si es posible, cierre los ojos. Dirija su conciencia a su experiencia interior y pregúntese: "¿Qué es lo que experimento ahora?". "¿Qué pensamientos pasan por mi mente?". En la medida de lo posible, reconozca los pensamientos como procesos mentales, quizás expresándolos con palabras.

¿Qué sentimientos percibo? Aproxímese a cualquier sensación de malestar emocional o sentimientos desagradables que experimente y admita su presencia.

¿Qué sensaciones corporales advierto ahora mismo? Quizás pueda realizar una breve y rápida exploración corporal, para captar cualquier sensación de tensión o rigidez.

Redirija ahora su atención para centrarla en las sensaciones básicas de la respiración espontánea. Aproxímese a la sensación que la respiración le produce en el abdomen, sintiendo las sensaciones en la pared abdominal, que se expande al inhalar y se contrae al exhalar. Siga todo el proceso de la respiración y utilícela para anclarse en el presente. Expanda el ámbito de su conciencia sobre su respiración, para abarcar también la sensación del cuerpo en su conjunto, la postura y la expresión facial.

CAPÍTULO 4
CUARTA SEMANA DE ENTRENAMIENTO

ESTRÉS, MINDFULNESS Y ACEPTACIÓN

"EL QUE ACEPTA SUFRIR, SUFRIRÁ LA MITAD DE LA VIDA; EL QUE NO ACEPTA SUFRIR, SUFRIRÁ DURANTE SU VIDA ENTERA".

CONFUCIO

ASPECTOS CONCEPTUALES

¿QUÉ ES EL ESTRÉS?

Mindfulness es una técnica que en Occidente tuvo gran auge por su potencial para reducir el estrés. Pero en realidad, ¿de qué hablamos cuando hablamos de estrés? Generalmente utilizamos la palabra para referirnos a las presiones diarias que nos agobian y acostumbramos a utilizar la expresión "estoy estresado", para comunicar que nos encontramos sobrecargados; es decir, que nuestros límites de tolerancia y recursos han sido sobrepasados, ya sea por dificultades en el trabajo, en la familia, la pareja o por aquello que percibamos como abrumante y que se traduce en una incomodidad generalizada (a nivel mental, corporal, emocional, etc.).

Ahora bien, ¿qué es realmente el estrés? La persona que popularizó el término, y a quien le debemos algunos descubrimientos, fue el Dr. Hans Selye, médico y fisiólogo que en el año 1950 se ocupó de definir al estrés como una "respuesta general del organismo (cuerpo y mente) para adaptarse a las modificaciones o cambios del ambiente, preparándolo para huir o luchar". Esto que específicamente él denominó como *Síndrome general de adaptación*, era concebido como una respuesta natural en los seres humanos, que formaba parte de la vida. Selye había descubierto que, independientemente de los agentes nocivos (ya sean internos o externos), el organismo respondía con una serie de modificaciones en su afán de adaptarse a las circunstancias perturbadoras y las alteraciones producidas en el cuerpo eran siempre las mismas.

Debido a que, gracias al estrés, podemos afrontar diversas situaciones cambiantes que demandan una acomodación a nuestro contexto, de la misma forma que puede servirnos para protegernos de riesgos e incluso mantenernos con vida, Selye advirtió que también podía ser bueno, fenómeno al cual denominó con el nombre de *eustrés*. En cambio, al estrés que resultaba perjudicial para la salud y que generaba angustia, lo llamó *distrés*. Pero si el estrés es normal, y además de ello puede incluso considerarse positivo, ¿por qué resulta tan perjudicial para la salud?

Cuando un organismo es expuesto a mayor estrés del que puede soportar, sin dudas deberá pagar las consecuencias de ello. Pero además de eso, y más importante aún, Selye pudo darse cuenta también de que las *enfermedades de adaptación* se originan fundamentalmente en cómo respondemos al cambio y la presión; es decir, que parten de nuestros propios intentos fallidos de adaptarnos a condiciones estresantes.

"Cuanto más atención podamos prestar a la eficacia de nuestros intentos para enfrentarnos a los hechos estresantes que se nos presenten, más capaces seremos de mantenernos en guardia contra la desregulación, y tal vez, de evitar caer enfermos o agravar nuestro estado".

Jon Kabat-Zinn

¿QUÉ OCURRE EN NUESTRO CUERPO CUANDO ESTAMOS ESTRESADOS?

Antes de continuar y hacer hincapié en los modos en que nuestra forma de percibir y afrontar los problemas determinan en realidad los niveles de estrés en nuestra cotidianidad, quisiera que tengamos presente aquello que sucede en nuestro cuerpo mientras estamos estresados. Conocer acerca del funcionamiento de nuestra fisiología puede resultar primordial para tomar conciencia sobre las implicancias de nuestro organismo en los procesos de salud-enfermedad, y nos ayudará a reconocer los estados de estrés cuando los transitamos.

Podemos señalar una clara interacción entre los diferentes sistemas del cuerpo en la respuesta al estrés, la cual comienza en el cerebro. Por un lado, un grupo de neuronas y glándulas ponen en funcionamiento lo que se denomina "eje hipotálamo-hipófisis-adrenal (HHA)", que básicamente consiste en la producción de la neurohormona FCR (factor liberador de corticotropina), que conecta el hipotálamo con la adenohipófisis, estimulando la liberación de la hormona ACTH (adrenocorticotropa) al torrente sanguíneo, lo que a su vez promueve la fabricación de glucocorticoides, como el cortisol, en la glándula suprarrenal.

Por otro lado, las neuronas del cerebro también impulsan otra vía que de igual manera se verá implicada en la respuesta del estrés. El sistema nervioso autónomo, mediante una activación simpática, estimula la producción en la médula suprarrenal de adrenalina y noradrenalina, provocando un efecto inmediato en todo el organismo: mayor estado de alerta, dilatación de las pupilas, aumento del pulso y la presión sanguínea, tensión muscular, disminución de las funciones digestivas, aumento de la frecuencia cardíaca y dilatación bronquial.

Decimos entonces que el sistema nervioso trabaja junto al sistema endócrino en la liberación de ciertas hormonas que contribuyen en la adaptación del organismo a las presiones del ambiente. Y es fácil advertir que son numerosos los cambios y las alteraciones que suceden en nuestro cuerpo cuando nos encontramos ante una situación de estrés.

AFECCIONES QUE PUEDE PRODUCIR EL ESTRÉS CRÓNICO

AFECCIONES NEUROLÓGICAS	El estrés impacta en el cerebro de una manera directa. El exceso de cortisol puede volverse nocivo para algunas áreas, interfiriendo negativamente en procesos como la concentración, la memoria y el aprendizaje. De la misma manera, provoca alteraciones del sueño y el humor, generando irritabilidad, ansiedad y depresión. Además aumenta las convulsiones en pacientes con epilepsia.
AFECCIONES ENDÓCRINAS	En personas predispuestas a padecer diabetes tipo 2, el estrés crónico puede resultar el factor desencadenante.
AFECCIONES INMUNOLÓGICAS	La disminución de linfocitos en sangre y la reducción de la actividad de células T y células NK aumentan la posibilidad de infecciones, y a veces producen reacciones autoinmunes.
AFECCIONES CARDIOVASCULARES	Puede ocasionar hipertensión y aumentar las posibilidades de sufrir un ataque al corazón o un accidente cerebrovascular.
AFECCIONES GASTROINTESTINALES	Favorece la aparición de gastritis, diarreas, dolores, acidez crónica, úlceras y síndrome del intestino irritable.
AFECCIONES RESPIRATORIAS	El estrés crónico puede resultar mayormente perjudicial en personas con dificultades respiratorias, o bien puede desencadenar algunas enfermedades como el asma.
AFECCIONES MUSCULARES	La tensión muscular producida por el estrés permanente, puede derivar en vértigos, migrañas o dolores crónicos de espalda y cuello.

En realidad, el estrés es nuestro aliado, pero puede ser un arma de doble filo si no sabemos gestionarlo y por ende se convierte en estrés crónico. Mindfulness es la respuesta a la pregunta sobre cómo debemos tramitar el estrés para que no se traduzca en algo dañino para la salud.

SER CONSCIENTES DEL ESTRÉS

Puede que por medio de nuestro *piloto automático* hagamos uso de estrategias que aprendimos en nuestro pasado ante situaciones estresantes, y que nuestra mente condicionada las active inconscientemente, sin hacer caso de las posibilidades reales del presente. Las preguntas clave son: ¿estas estrategias me sirven para afrontar el estrés que atravieso aquí y ahora? ¿O quizás solo me generan más problemas? A veces, encontrar satisfacción a corto plazo garantiza una dificultad mayor, debido a que diversas estrategias de afrontamiento terminan siendo perjudiciales para la salud, y lejos de resolver nuestras dificultades vinculadas al estrés, no hacen más que sumarnos nuevos problemas.

"Nuestras reacciones automáticas a los acontecimientos estresantes determinan en gran medida cuánto estrés experimentamos. La conciencia es el elemento clave para aprender a liberarnos de nuestras reacciones al estrés".

Jon Kabat-Zinn

Mindfulness nos proporciona la posibilidad de aprender a ser conscientes del estrés. Resulta fundamental que podamos darnos cuenta de los momentos en los que nos encontramos estresados, para evitar la desregulación de nuestro organismo. Si aprendemos a observar las reacciones automáticas y encontramos formas de no perpetuarlas, desarrollando modalidades de afrontamiento basadas en la conciencia, seguramente aprenderemos también a transitar el estrés sin que nos impacte negativamente. Como dijimos antes, el estrés puede ser positivo, pero debemos interiorizar los modos de regularlo para que no se convierta en nuestro enemigo.

Pueden ser múltiples las formas de afrontar el estrés que resultan perjudiciales y poco saludables, y aunque puedan darnos algunos resultados para sobrellevarlo momentáneamente, brindándonos un poco de alivio a corto plazo, a la larga no hacen más que generarnos más estrés.

En el primer capítulo nos referíamos a la rumiación y a la evitación como estrategias de supervivencia sumamente necesarias en situaciones de vida o muerte; sin embargo, veíamos también que podían ser riesgosas si abusábamos de ellas, ocasionándonos nuevos problemas. Además de esos mecanismos generales, Jon Kabat-Zinn, quien aborda directamente la temática, enumera una serie de "afrontamientos inadecuados" del estrés, que se describen a continuación.

LA NEGACIÓN	Es difícil liberar tensiones si ni siquiera admitimos que están ahí. Nos resistimos a mirar lo que sucede adentro de nosotros mismos. Utilizar este mecanismo puede resultar efectivo si se trata de algo temporal, pero a la larga debemos hacer algo para resolver lo que nos genera aflicción.
LA ADICCIÓN AL TRABAJO	Hay personas que se ahogan en su trabajo. Muchas lo hacen inconscientemente y con las mejores intenciones del mundo, porque, en el fondo, se sienten reacias a enfrentarse a otras facetas de su vida.
HIPERACTIVIDAD	Otra de las formas autodestructivas del comportamiento de la evitación. En lugar de enfrentarnos a nuestros problemas, corremos de un lado hacia otro, llenándonos la vida de actividades y cosas, hasta que terminamos desbordados y nos resulta imposible conectar con nosotros mismos.
EL USO DE SUSTANCIAS QUÍMICAS	Cuando no nos gusta lo que sentimos, acudimos a sustancias que modifican nuestro organismo. Existe una dependencia general en nuestra cultura por cualquier tipo de droga o sustancia considerada necesaria para enfrentar el estrés y las exigencias diarias: café, tabaco, alcohol, etc.
LA COMIDA	A veces comemos cuando estamos deprimidos o angustiados. Puede convertirse en una muleta que nos ayuda a atravesar momentos incómodos y también puede ser una forma de premiarnos tras realizar algún esfuerzo. El empleo de la comida como tranquilizante puede convertirse en una adicción muy difícil de superar.

EL CONSUMO DE MEDICAMENTOS

"No hay tiempo para el dolor", anuncian los spots publicitarios de los analgésicos. En una cultura en la que no toleramos ningún tipo de malestar o displacer, el mercado de los laboratorios prolifera. En muchas ocasiones ubicamos las benzodiacepinas en primer lugar para transitar el estrés y la ansiedad, creyendo que resolverán nuestros problemas.

Aprender a regular nuestras reacciones al estrés dependerá del grado de conciencia que tengamos respecto de los afrontamientos inadecuados bajo los cuales nos vemos sumergidos muchas veces sin siquiera darnos cuenta. En la medida que logremos comprender y estar al tanto de que nuestro organismo **reacciona** (evitando, rumiando, comiendo o trabajando el doble) ante el estrés, y que esa reacción nos provoca más sufrimiento, podremos también volcar nuestra conciencia hacia las posibilidades del momento presente (tal como lo describimos en el capítulo anterior), o bien simplemente tratar de centrar nuestra energía en **aceptar** lo que fuese que esté sucediendo, incluso si trabajamos para cambiar nuestras circunstancias.

¿QUÉ ES LA ACEPTACIÓN?

En el primer capítulo ya dimos un vistazo al concepto de aceptación: "es abrirse voluntariosamente a experimentar lo que fuese que habite en el momento presente, sea placentero o displacentero". Sin embargo, quisiera agregar algunas palabras más. En la cultura de la inmediatez, y de la poca tolerancia a la frustración, la palabra aceptación tiene una connotación negativa. Miremos algunos ejemplos: "A mí me suena a tener que bancársela"; "No está bien que uno tenga que aceptar todo"; "¿Por qué tengo que dejar las cosas como están?"; "Es resignarte porque no te queda otra opción".

Ante afirmaciones como esas, me suelo preguntar: ¿cómo es que no nos resultará difícil practicar la aceptación? Si concebimos "el hecho de aceptar" como algo nocivo, es fundamental primero que podamos otorgarle otro significado, y para eso debemos comprender que la aceptación consiste en una estrategia útil para el afrontamiento del estrés. La aceptación es paciencia, tolerancia y capacidad de espera ante aquellas circunstancias de la vida (sean de la índole que fueran) que nos resultan poco agradables, pero lo esencial radica en la voluntad activa de acercarnos a esa experiencia.

“La aceptación nos permite estar abiertos tanto al placer como al dolor, asumir tanto el ganar como el perder, ser compasivos con nosotros mismos y con los demás cuando se cometen errores. La aceptación nos permite decir sí a los aspectos de nuestra personalidad que queremos eliminar u ocultar. Finalmente, es la aceptación lo que nos permite asumir tanto la vida en perpetuo cambio como la omnipresente realidad de la muerte”.

Ronald D. Siegel

Tal vez podamos comprender un poco más el tema mediante una breve leyenda oriental. Durante una guerra civil en Corea, un general avanzaba implacablemente con sus tropas, tomando provincia tras provincia, y destruyendo todo lo que encontraba a su paso. Los habitantes de una ciudad, al saber que el general se acercaba, y habiendo oído historias de su crueldad, huyeron a una montaña de los alrededores. Las tropas encontraron las casas vacías y después de mucho revisar, encontraron a un monje zen que había permanecido en su sitio. El general ordenó que se presentara ante él, pero el monje no obedeció. Furioso, el general lo fue a buscar. ¡Tú no debes saber quién soy yo!, vociferó. Yo soy aquel que es capaz de atravesarte el pecho con mi espada, sin pestañear. El maestro zen se dio vuelta y respondió serenamente: tú tampoco debes saber quién soy yo, soy aquel que es capaz de ser atravesado por una espada, sin pestañear. Al oír esto, el general se inclinó, hizo una reverencia y se retiró.

PÍLDORAS DE ACEPTACIÓN PARA EL ESTRÉS, ¿POR QUÉ?

La aceptación es un modo de afrontar el estrés y entrenarnos para ello es clave en el programa de Mindfulness y Regulación Emocional. Si aprendemos a centrarnos en las sensaciones desagradables, tanto como en las agradables, desarrollaremos más tolerancia hacia los momentos incómodos que nos toca atravesar en la vida. Pero además de ello, la aceptación es lo que nos mantendrá a salvo de activar los afrontamientos inadecuados del estrés que describimos más arriba.

La aceptación nos libera de la reacción, porque nos permite ser conscientes del momento presente, pese a que nos resulte displacentero. Y al liberarnos de la reacción, impedimos que el “estrés plus” generado por mecanismos como la evitación y la rumiación concluya desbordándonos y trayéndonos consecuencias nefastas en nuestra salud y en nuestro estilo de vida.

"El camino de la atención plena es el de aceptarnos en este preciso momento como somos, con síntomas o sin ellos, con o sin dolores, con miedo o sin él. En vez de rechazar nuestra experiencia como algo indeseable, preguntamos: ¿qué dice este síntoma? ¿Qué me está contando sobre mi cuerpo y mi mente? Nos permitimos entrar en la verdadera sensación del síntoma. La verdad que hacer algo así requiere de cierto valor".

Jon Kabat-Zinn

Si deseamos ser conscientes del estrés, para no repetir reacciones y modos inadecuados de afrontarlo, debemos practicar la aceptación. Es lo que nos permitirá aproximarnos a nuestras sensaciones, nuestros pensamientos y nuestras emociones, para percibirlos tal cual son, sin querer modificarlos, sino más bien aprendiendo que son pasajeros.

Interiorizar una actitud de aceptación hacia lo que nos está sucediendo aquí y ahora nos brinda la oportunidad de permitirnos ser y estar como ya somos y estamos, sin dejar de entender que en realidad, a pesar del malestar, podemos regular la forma en que lo experimentamos.

RECUPERAR EL CONTROL DE NUESTRAS VIDAS

Aceptar que hay un monto de estrés, displacer, sufrimiento o incomodidad que forma parte de nuestra vida no quiere decir que no podamos hacer nada para transitarla de una manera saludable.

Resulta primordial comprender que la forma en que percibimos la realidad determina en gran medida la cantidad de estrés que experimentamos. Algo que puede resultar severamente estresante para uno, no lo es en absoluto para otro. Esto dependerá de cómo evaluamos la situación en cuestión y es por lo tanto, un factor que podemos controlar. Profundizaremos sobre el tema de los pensamientos en el capítulo siguiente.

La creencia de que no tenemos control sobre lo que sucede en nuestras vidas puede producir un impacto negativo en nuestro estado de ánimo, llevándonos desde el estrés al abatimiento y la depresión. Por el contrario, si nos damos cuenta de que nuestras actitudes frente a la vida dependen de nosotros, y de lo que hagamos para mejorarlas, estaremos haciéndonos responsables en el proceso de construcción de salud.

En el otro extremo, sin embargo, a veces buscamos tener el control sobre todo, y eso constituye en sí mismo una fuente de estrés, agotamiento y frustración. La aceptación nos permite entender que muchas cosas están fuera de nuestra zona de influencia y maniobrabilidad, y tolerar esa característica de la realidad a veces requiere de un aprendizaje.

¿SIEMPRE DEBEMOS LUCHAR? VIVIR ES CAMBIAR

Disfruto mucho en mis sesiones de Mindfulness cuando explico el concepto de la aceptación con el siguiente ejemplo.

El otro día iba yo caminando por la calle, puntualmente me dirigía a una librería del centro, y de repente comenzó a llover. En ese instante me llega un mensaje de texto, de una persona muy cercana, que me dice: "te agarró la lluvia". A ese mensaje yo respondí: "No, yo agarré a la lluvia".

¿Y si por una vez intentamos desear que las cosas sean como ya son? Es muy común el hábito de querer modificar la realidad. Y claro que en muchas ocasiones es algo válido y eficiente. Pero no siempre lo es, a veces debemos probar con la estrategia contraria. Claro que, en el ejemplo anterior, podría yo haber pensado: "No traje paraguas, ¿por qué no traje paraguas? Justo ahora comienza a llover; me estoy mojando todo; me voy a ensuciar los zapatos; etc. La resistencia a los cambios puede resultar muy tóxica si se vuelve habitual en nuestro modo de afrontar la realidad.

Los cambios forman parte de nuestra vida y pueden resultarnos difíciles de sobrellevar, sean sucesos positivos (un ascenso en el trabajo) o negativos (la pérdida de una relación importante); y el estrés, cuando se comporta como nuestro aliado, facilita la adaptación a esos cambios. Sin embargo, una actitud de lucha y resistencia hacia esos cambios genera mayor estrés, desregulándonos y ocasionándonos conflictos emocionales.

Luchar por motivos justos y pelear por lo que deseamos es una estrategia de supervivencia que nos permite alcanzar objetivos y generar cambios saludables. Sin embargo, hay cosas que se encuentran fuera de nuestro control, y si insistimos en experimentar una lucha ante cada situación que nos genera incomodidad, puede que nuestro estrés nos sobrepase, propiciando dificultades en nuestra salud mental.

"Serenidad para aceptar todo aquello que no puedo cambiar, fortaleza para cambiar lo que soy capaz de cambiar y sabiduría para reconocer la diferencia".

Reinhold Niebuhr

Como dijimos en el primer capítulo, aceptar no es resignarse, lo cual tiene que ver con una actitud pasiva y de entrega involuntaria. Por el contrario, la aceptación es apertura voluntaria y activa hacia lo que estoy experimentando en este momento. Y Mindfulness nos permite entrenar la aceptación, porque a medida que nos observamos a nosotros mismos y advertimos las incomodidades que surgen durante un ejercicio de meditación, contamos con la posibilidad de adoptar una actitud de tolerancia hacia lo que vaya emergiendo, teniendo en cuenta que las sensaciones, tanto como los pensamientos y las emociones, son eventos pasajeros.

ASPECTOS PRÁCTICOS

Supongamos que estamos realizando un ejercicio formal de meditación y de repente comenzamos a sentir una leve picazón. La reacción habitual será seguramente la de extender nuestra mano hasta esa zona del cuerpo para rascarnos. Pero qué sucedería si intentáramos regular esa reacción, siendo conscientes de ella. Mindfulness nos brinda la posibilidad de entrenar nuestra aceptación al tratar de no reaccionar como lo haríamos habitualmente y simplemente permitiéndonos estar con esa sensación, aunque sea displacentera.

A continuación practicaremos un ejercicio bien práctico y concreto que hará posible el entrenamiento de la aceptación y que consiste en una invitación a trabajar con la dificultad. Mindfulness, lejos de ser un modo para "desconectarnos de la realidad", permite que aumentemos la conciencia sobre nosotros mismos y eso no siempre puede resultar agradable o placentero, pero seguramente facilitará la liberación del sufrimiento ocasionado por la reacción de nuestra mente condicionada.

El siguiente ejercicio nos servirá también para trabajar durante las últimas tres semanas, dado que la exploración de las emociones difíciles y su aceptación resulta de gran importancia.

Recuerde que las exigencias deben ser progresivas, no sea duro consigo mismo, la tolerancia se desarrolla con tolerancia.

EJERCICIO DE MINDFULNESS Y ACEPTACIÓN

Comience practicando durante unos minutos el ejercicio básico de Mindfulness o de exploración corporal, hasta sentirse razonablemente asentado.

En lugar de hacer que su atención abandone el pensamiento o sentimiento "doloroso o molesto", como en otros ejercicios, permita que permanezca en su mente. A continuación, dirija su atención hacia el cuerpo y procure ser consciente de las sensaciones físicas molestas.

Una vez identificadas estas sensaciones, dirija deliberadamente el foco de su atención hacia la parte del cuerpo en la que las experimenta con mayor intensidad. Quizás imaginando que puede "respirar en" esta zona al inspirar y "respirar fuera" de ella al espirar, tal como se practicó en la exploración corporal, no para cambiar las sensaciones, sino para explorarlas, para verlas con claridad.

Si en este momento no percibe ninguna dificultad o preocupación, entonces puede pensar en una dificultad que esté presente en su vida, algo que no le importe tener en mente durante un rato. No es necesario que sea algo importante o grave, sino que le parezca poco agradable o no resuelto. Quizás un malentendido o una discusión, una situación por la que se sienta un poco enfadado, alguna cosa que lamenta, o algo que sucedió recientemente y de lo que se siente culpable. Si tampoco se le ocurre nada, puede optar por algo que le sucedió en el pasado, reciente o lejano, que en su momento le incomodó.

Ahora, una vez centrado en algún pensamiento o situación perturbadora, en alguna preocupación o sentimiento intenso, tómese un tiempo para sintonizar con cualquier sensación física corporal que esa dificultad y su reacción a ella le hayan provocado.

Compruebe si es capaz de percibir, acercarse e investigar interiormente qué sentimientos están surgiendo en su cuerpo, siendo consciente de estas sensaciones físicas, dirigiendo el foco de su atención a la zona del cuerpo en la que las sensaciones son más fuertes, en un gesto de aceptación, de acogida.

Una vez que su atención se asentó en las sensaciones corporales y estas están nítidamente presentes en su conciencia, por desagradables que sean, puede intentar profundizar en la actitud de aceptación y apertura a cualquier sensación que experimente, diciéndose, de vez en cuando: "Aquí está. Y está bien abrirse a ella. Sea lo que sea, aquí está y me abro a ella". Suavice y ábrase a las sensaciones de las que ha tomado conciencia, anímese y deje ir la tensión intencionadamente. Dígase a sí mismo "aceptación" y "apertura" en cada espiración.

Recuerde que, al decir "ya está aquí" o "está bien", usted no está juzgando la situación original o diciendo que todo está bien, sino simplemente ayudando a su conciencia en este momento a mantenerse abierta a las sensaciones corporales.

Estos sentimientos no tienen por qué gustarle; es natural que no quiera tenerlos. Tal vez le resulte útil decirse, para sus adentros, "está bien no querer estos sentimientos, pero, como ya están aquí, me abriré a ellos".

Cuando perciba que las sensaciones corporales ya no reclaman su atención en la misma medida, vuelva a concentrarse al cien por cien en la respiración como primer objeto de atención.

Este ejercicio está basado en *El camino del Mindfulness* (Teasdale, Williams y Segal, 2015).

CAPÍTULO 5
QUINTA SEMANA DE ENTRENAMIENTO

SIN JUZGAR: MINDFULNESS PARA MIS PENSAMIENTOS

"NI TUS PEORES ENEMIGOS PUEDEN HACERTE TANTO DAÑO COMO TUS PROPIOS PENSAMIENTOS".

BUDA

ASPECTOS CONCEPTUALES

TODO DEPENDE DE CÓMO SE MIRE

En el campo de la Psicología es muy reconocida una corriente psicoterapéutica llamada Terapia Cognitiva, que cobró gran popularidad gracias al vasto aval científico con el que cuenta. Surgió en la década de 1960 para abordar el trastorno de la depresión, pero demostró luego ser efectiva para problemáticas de diversa índole.

La Terapia Cognitiva desarrolla con eficacia una serie de contenidos teóricos que explican el modo en que los pensamientos o acontecimientos mentales influyen sobre nuestras emociones y nuestras conductas.

A continuación, presentaremos el ABC del modelo cognitivo, un esquema sencillo que tenemos los psicoterapeutas para explicarle a la gente la influencia de sus pensamientos en la vida cotidiana.

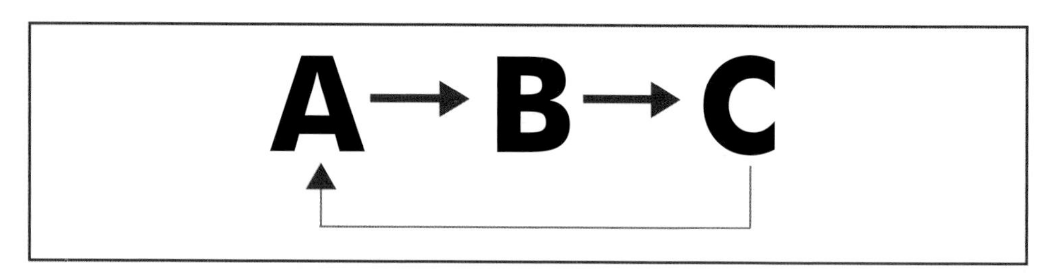

Las letras, en inglés, tienen el siguiente significado: **A** de *Activating event* (evento activador); **B** de *Beliefs* (creencias) y **C** de *Consequences* (consecuencias emocionales y conductuales).

Entre una circunstancia cualquiera de nuestra vida y la reacción a esa circunstancia (lo que puede incluir una emoción o una conducta) existe siempre un componente cognitivo; es decir, algo que tiene que ver con un pensamiento, una percepción o una evaluación. Pero atentos con esto, porque ese pensamiento no necesariamente deba ser consciente o deliberado, sino que mayormente ocurre en un nivel automático o inconsciente, y condiciona nuestro modo de reaccionar ante los diversos sucesos de la vida. Pongamos un ejemplo: Susana vive con su perro. Llega a su casa y se encuentra con la siguiente situación (A); el canino hizo sus necesidades en donde no debía y ella reacciona (C) con enojo e insultos. Necesariamente entre A y C ocurrió una evaluación de la situación (B). Entonces la pregunta clave es: ¿de qué modo interpretó Susana esta situación? O ¿qué se cruzó por su mente en ese momento? Seguramente, aunque haya resultado en un plano automático, y la percepción sea fugaz, tuvo que ver con algo semejante a alguna de las siguientes interpretaciones: "el perro no debe hacer eso", "es injusto que haga eso", "es injusto que deba limpiar otra vez", "yo no debería tener que limpiar", etc. Ha sido este modo singular de evaluar la situación lo que desencadenó su enojo y su conducta de insultar.

Supongamos ahora que Susana se encuentra ante la misma situación, pero en esta ocasión, lo que se cruza por su mente es algo así como: "los perros son perros", "al menos no fue demasiado", "pobre animalito que estuvo encerrado todo el día", etc. Aunque la situación sea la misma, la reacción emocional y conductual (lo que Susana hace y siente) será diferente. Lo primordial entonces radica en la letra B: ¿cómo estamos habituados a pensar, percibir, evaluar o interpretar cada momento de nuestras vidas?

En el dibujo, la flecha que regresa hacia la letra A nos está indicando que la letra C será la forma de relacionarnos con A. Es decir, que nuestras emociones y conductas constituyen el modo en que interactuaremos con esa circunstancia de vida.

El ejemplo anterior no tenía la finalidad de señalar que una interpretación haya sido buena o acertada, y otra mala o incorrecta, sino más bien el objetivo era puntualizar que nuestras reacciones emocionales y conductuales varían según la forma en que percibimos las circunstancias. Y esta es la clave por la cual, ante situaciones de estrés semejantes, algunas personas son más resilientes que otras. Con mucha razón, Epicteto decía hace ya 2000 años: "No son los hechos que suceden lo que nos perturban, sino lo que interpretamos de ellos".

Es importante indicar algo más, la Terapia Cognitiva no propone el *pensamiento positivo* como solución para equilibrar nuestro estado de ánimo. Postula en cambio, que una visión objetiva o realista de las cosas es suficiente para no deprimirnos más de la cuenta. La Terapia Cognitiva busca eliminar los pensamientos negativos que no tienen fundamento en la realidad, que son causantes de muchos malestares emocionales.

"Nuestro modo de pensar determina en gran medida si alcanzaremos nuestros objetivos y disfrutaremos de la vida, o incluso si sobreviviremos".

Aaron Beck

CONSCIENTES DE NUESTRA PROPIA MENTE

Estamos de acuerdo entonces, o eso espero, en que según la forma en que interpretemos una determinada circunstancia de la vida, nuestras emociones y conductas serán de una u otra manera. Si los juicios que emite la mente sobre la realidad tienden a ser mayormente negativos, nuestras emociones también lo serán.

Pero demos ahora un paso más. Si aprendemos a ser conscientes de nuestra propia mente, advirtiendo que ella es la encargada de construir significados y formas de pensar las cosas y la realidad, aprendemos por tanto que los pensamientos son solamente pensamientos. ¿Cómo sería esto? Podemos tomar distancia de nuestra propia mente, observarla como observamos a nuestra mano, y caer en la cuenta de que los pensamientos, juicios, interpretaciones, evaluaciones o cualquier otro fenómeno semejante son al fin y al cabo no más que meros acontecimientos mentales. **No son la realidad**. Si verdaderamente dejo de creer que todos los juicios que emite mi mente son el equivalente a la realidad, por más negativo que sea mi pensamiento, no causará el impacto que ocasionaría si creyese que aquello que pienso es sinónimo de realidad.

Aprender que **los pensamientos son solo pensamientos** es un trabajo fundamental para agudizar una mirada *mindful* sobre las cosas que nos rodean. Nuestras relaciones, nuestro entorno laboral, nuestra salud, todo puede verse contaminado por los productos de la mente, generando más sufrimiento del que conlleva la vida en sí misma. Para liberarnos del sufrimiento ocasionado por nuestra propia mente, debemos entrenarnos en comprender esta idea y ponerla en práctica momento a momento.

"Un objetivo clave debe ser ayudar a las personas a encontrar modos de reducir su grado de identificación con lo que están pensando, animarles a ver los pensamientos como pensamientos, de modo que ya no se relacionen más *desde* sus pensamientos sino *hacia* sus pensamientos, como objetos de la conciencia".

Teasdale, Williams y Segal

Entonces el objetivo ya ni siquiera consiste en eliminar los pensamientos negativos. Podemos disponernos con apertura a los pensamientos que quieran cruzar por nuestra mente, porque ahora sabemos que son solo eso: pensamientos. No nos afectarán de la misma manera si estamos al tanto de que ellos no son los hechos ni la realidad.

¿CÓMO INTERPRETAMOS EL ESTRÉS?

A esta altura del libro, también estamos de acuerdo en que nuestra mente se la pasa emitiendo juicios sobre los otros, sobre el mundo, sobre el futuro y sobre nosotros mismos. Ahora bien, además de todo ello, será de crucial interés indagar sobre el modo que tenemos de interpretar nuestro propio estrés.

Retomemos brevemente el ABC del modelo cognitivo, y supongamos ahora que el estrés es la circunstancia (A) con la que nos encontramos. Tuvimos un mal día en el trabajo y estamos estresados debido a las presiones de nuestro jefe para cumplir con los objetivos que demanda la organización en la que trabajamos. De repente, mi mente interpreta "no me merezco sentir así, es insoportable" (B). Finalmente, las consecuencias de esa evaluación se traducen en enojo y en una disposición interna de resistencia a la situación que deviene en más estrés (C).

La forma en que nuestra mente juzga el estrés puede ocasionar mayor estrés, y es por esto que debemos preguntarnos acerca del modo en que interpretamos las situaciones que conllevan agitación emocional. Recordemos que: DOLOR + MENTE CONFUNDIDA = MAYOR SUFRIMIENTO.

Si aprendo a ser consciente de los juicios automáticos que emite la mente ante las circunstancias estresantes, puedo impedir la activación de una corriente afectiva más intensa y perturbadora. Creer que, por ejemplo, somos incapaces de atravesar situaciones de estrés nos volverá más resistentes al tránsito normal de algo que en realidad es pasajero. Si creemos que sentir estrés es algo imposible de tolerar, o es terrible, definitivamente estaremos maximizando el displacer que nos genera esa situación. ¿Cuál es la forma entonces? Aceptando, concentrándonos en la incomodidad, abriéndonos al presente sin juzgar, de esa manera lograremos liberarnos del dolor que genera nuestra propia mente.

PERO... ¿ES POSIBLE NO JUZGAR?

Puede que *el arte de no juzgar* sea una empresa difícil, pero no es imposible. Los juicios pueden equipararse a los pensamientos, y por tanto podemos elegir no creer en ellos. Estamos acostumbrados a conocer la realidad mediante el filtro de nuestra mente, pero no es el único modo de conectarse con lo que nos rodea. Agudizar los sentidos en el contacto con lo exterior, al igual que la percepción de nuestras sensaciones corporales, constituye formas alternativas. En nuestra cultura predomina la *mentalización* por sobre la *conciencia de las sensaciones*; es decir, que determinadas zonas de nuestro hemisferio cerebral izquierdo, encargado de ordenar la realidad, o categorizarla/juzgarla, puede que se encuentren más desarrolladas, aunque en desconexión con otras áreas cerebrales. El entrenamiento en Mindfulness nos permitirá alcanzar una mayor *integración cerebral*; es decir, un equilibro en la funcionalidad entre las diversas regiones cerebrales.

Daniel Siegel, en cuyos aportes se basó el capítulo 3, afirma que el hemisferio izquierdo es quien ordena la realidad mediante la narración de relatos; sin embargo, es el hemisferio derecho quien aporta el material en bruto (depósito principal de la memoria autobiográfica). Comprender los aspectos emocionales de nuestra historia se convierte entonces en un trabajo imprescindible para integrar nuestro cerebro. Al crear una conexión más cercana entre diversas zonas del cerebro, lo que se produce por la generación de nuevas neuronas, y nuevas redes neuronales, estaremos asentando el terreno para lograr una mayor *sintonía razón-emoción*, lo que se traduce como un incremento de la regulación emocional, punto que mencionamos al inicio del libro y sobre el cual comenzaremos a profundizar en el siguiente capítulo.

Aunque no sea exactamente igual en todas las personas del mundo, el hemisferio izquierdo es también conocido como el hemisferio verbal, o lingüístico simbólico, por lo que podemos decir que en mayor medida nos posibilita, entre otras funciones, nominar y clasificar la realidad por medio de las palabras. Ahora bien, cuando indagamos sobre la forma en que se presentan los pensamientos, nos encontramos con que tienen forma de palabras; los pensamientos constituyen una especie de lenguaje interior, lo cual nos conduce a la siguiente pregunta: ¿las palabras son las cosas? ¿La palabra mesa es la mesa? Y la respuesta es NO. Comprender esta discriminación entre palabras y cosas nos ayudará aún más a profundizar en la idea de que **los pensamientos no son equiparables a la realidad**.

La mente puede hacer miles de conjeturas en un día y encima tenderá a procesarlas bajo una modalidad binaria (alto-bajo, bueno-malo, lindo-feo, etc.); por lo cual, si lo clasificable no se encuentra de un lado, estará del otro. Es lo que se reconoce como pensamiento dicotómico. Supongamos que para Marcos las personas son burras o inteligentes, y un día cualquiera sale mal en un examen, puede que internamente se categorice a sí mismo como burro, lo cual le ocasione abatimiento por no encontrarse del lado de los inteligentes. Pero lo cierto es que una circunstancia no puede definirnos, e incluso para algunas cosas quizás podremos ser burros, pero para otras no; sin embargo la mente encasilla y rotula, porque necesita certezas y tiene hambre de palabras.

"Este es el tema esencial: los seres humanos sufren, en parte, porque son criaturas verbales. Si esto es realmente así, entonces el problema es el siguiente: las habilidades verbales –capaces de generar sufrimiento– resultan demasiado útiles y esenciales para el funcionamiento humano como para dejar de estar operativas en ningún momento. Esto significa que el sufrimiento forma parte inevitable de la condición humana; al menos, hasta que aprendamos a manejar mejor esas habilidades que el propio lenguaje nos ha brindado".

Steven Hayes

Cuando practicamos Mindfulness incrementamos un tipo de conciencia más *gestáltica*, global e integrada, sin divisiones ni clasificaciones. Aceptamos que no existen únicamente "blanco o negro", porque son ilusiones de nuestra mente. Existe lo que es, y podemos penetrar en ello cuando anulamos el impulso de clasificar en base a opuestos y nos abrimos a múltiples perspectivas. *Advaita* es la palabra sánscrita proveniente de tradiciones hinduistas con que se denomina a la no-dualidad; y la mayor ilusión de este tipo manifestada por nuestra mente es la oposición entre yo y no-yo, asunto del cual nos ocuparemos en el capítulo 8.

YO NO SOY MI MENTE

Yo no soy mi cabeza, yo no soy mi mano, yo no soy mis pies, yo no soy mi cadera, yo no soy ningún fragmento de mi cuerpo, pero todos conforman partes de mí. De igual modo debemos intentar concebir a nuestra mente. La mente es una parte de nosotros; sin embargo, tendemos a sobreidentificarnos *con ella*, y esto muchas veces resulta ser causa de sufrimiento y malestar emocional.

El problema reside en una incapacidad aprendida para tomar distancia de nuestra mente y observarla como si fuese nuestra mano o cualquier otra parte del cuerpo. Y en esa sobreidentificación nos volvemos seres exclusivamente *mentales*, incapaces de ser conscientes de nuestro cuerpo, nuestras emociones, de lo que nos rodea, e incluso de nuestra propia mente.

Mindfulness es conciencia de nuestra propia mente. Y si nos volvemos prisioneros de sus pensamientos, cerramos nuestra experiencia entre los límites que ella impone. Por ejemplo, si la mente nos hace creer que somos personas tranquilas, para sintonizar con esa idea trataremos de evitar la agitación natural de las emociones porque consideraremos que nos ponen en peligro.

Cuando aprendemos a comprender que no necesariamente somos todo lo que nuestra mente condicionada nos ordena, ampliamos nuestra flexibilidad y apertura a las posibilidades, tal como lo describimos en el capítulo 3, e impedimos que los pensamientos nos arrastren hacia la repetición de patrones rígidos de vida.

"Yo no soy mi cuerpo; soy más. Yo no soy mi habla, mis órganos, el oído, el olfato; eso no soy yo. La mente que piensa tampoco soy yo. Si nada de eso soy, entonces ¿quién soy? La conciencia que permanece, eso soy".

Sri Ramana Maharshi

DEJARLOS PASAR

Los pensamientos son pensamientos, y como dijimos antes, es una de las razones por las cuales no debemos sobreidentificarnos con ellos. Pero los pensamientos, además, son *pasajeros*, y es otra justa razón por la que tampoco deberíamos sobreidentificarnos con ellos.

Los neurocientíficos aseguran que tenemos unos 60.000 pensamientos al día, dato que refleja la intensidad con la cual nuestra mente funciona a diario. Resulta primordial reconocer que muchos de esos pensamientos suelen ser negativos, y que además, con excesiva frecuencia, no nos damos cuenta de que eso sucede; es automático y constante. La máquina que piensa nunca se detiene, sin embargo, es posible aprender a regularla para que no nos ocasione sufrimiento.

La clave residirá en cultivar la capacidad de observar los pensamientos y dejarlos pasar. Cuando tomamos conciencia de que los pensamientos llegan a nosotros de manera continua, podemos elegir detenernos en ellos o simplemente observar su curso: aparición y desaparición. Impediremos de esta manera el impulso natural de nuestra mente para arrastrarnos hacia otros lugares y tiempos, porque decidiremos no subirnos al tren de pensamientos, y tampoco optaremos por echar ancla en ninguno de ellos, evitando la fijación a cualquier fenómeno mental. ¿Se puso alguna vez a pensar cuáles son las cosas que "se dice" durante la mayor parte del tiempo? Es importante que nos detengamos en esta pregunta, puesto que nuestra vida puede sernos fácilmente arrebatada por los viejos hábitos de la mente condicionada con la que convivimos momento a momento. Los pensamientos automáticos, los juicios, pueden dirigirnos sin siquiera darnos cuenta de ello.

"Cuando nos perdemos en el pensamiento, este se acerca a nuestra mente y se la lleva; y en efecto, en un período de tiempo muy breve podemos ser transportados muy lejos. Brincamos en el tren de la asociación sin saber que lo hicimos, y ciertamente, ignorando el destino. En algún lugar del trayecto podemos despertarnos y percatarnos de que hemos estado pensando, de que se nos ha llevado a pasear. Cuando nos bajamos del tren, puede que lo hagamos en un estado mental muy diferente de cuando subimos".

Joseph Goldstein

MENTE Y CUERPO (PENSAMIENTOS, EMOCIONES Y SENSACIONES)

El objetivo de este apartado es hacer hincapié en la idea de que los pensamientos generan un impacto en nuestro cuerpo. Según lo que ya dijimos, y como lo seguiremos profundizando en los capítulos siguientes, los modos de interpretar las diversas circunstancias condicionan nuestras emociones. Cabe preguntarse ahora: ¿a dónde ocurren nuestras emociones? Pues en ningún lugar más que en nuestro cuerpo, por lo que es fácil deducir que los pensamientos tienen la capacidad de producir diversas sensaciones en nuestro organismo.

Para reforzar esta idea, y con el objeto de que nadie dude sobre el poder de la mente para producir efectos en el cuerpo, quisiera que el lector realice un experimento: cierre los ojos e imagine un limón, tal como si lo tuviera con usted mismo. Imagine también que corta ese limón al medio y que lo muerde o succiona su jugo. Ahora trate de registrar qué es lo que sucedió. Seguramente la experiencia estuvo relacionada al sabor amargo y ácido del limón, y probablemente haya gesticulado como si realmente lo tuviese en su boca. Sin embargo, quisiera preguntarle: ¿a dónde se encuentra el limón? En ningún lado, solo se encuentra en su mente, y de todas formas puede producir consecuencias en el cuerpo, tal como lo acabamos de evidenciar.

Dimensionar el efecto de nuestros pensamientos sobre el cuerpo nos permitirá reconocer que la división *psique-cuerpo* es una ilusión, puesto que ambos se encuentran en permanente interacción y constituyen un *todo*. Cuando caemos en el piloto automático y nos subimos a un tren de pensamientos, nos encontramos de repente entrampados en determinadas emociones y sensaciones, sin siquiera poder comprender a qué sucesos están relacionadas.

Aprender a identificar las sensaciones en el cuerpo durante situaciones de reactividad emocional podría darnos una pauta del tipo de pensamientos que estamos desarrollando en ese momento determinado. Reconocer el instante en que comenzamos a transitar períodos de malestar emocional nos brinda la posibilidad de prevenir la agudización de esos estados, tomando medidas que nos permitan abordar nuestros pensamientos negativos.

PENSAMIENTOS Y SALUD

Dado que los pensamientos generan efectos en nuestro organismo, nos resulta fácil advertir la implicancia que tienen para nuestra salud. ¿Qué dicen las investigaciones al respecto?

El optimismo, por ejemplo, considerado un patrón de pensamiento asociado a la creencia de que las cosas en el futuro estarán bien, y de que los fracasos que nos tocan atravesar se asocian a factores pasajeros, específicos y externos, ha sido investigado en varias ocasiones en relación a los niveles de salud. Por ejemplo, un estudio realizado mediante el análisis de escritos personales sobre situaciones vividas durante la Segunda Guerra Mundial corroboró treinta años después que los optimistas presentaban mejor salud y menos mortalidad. Así también se comprobó que las personas optimistas muestran un mejor estado del sistema inmunológico, reflejado en una menor presencia de células supresoras T8. En estudios de mujeres con cáncer de mama se encontraron relaciones entre el optimismo y una mayor calidad de vida. Otras investigaciones demostraron que el pensamiento optimista estaba asociado con niveles mayores de función pulmonar y con menor riesgo de padecer una enfermedad coronaria, por lo que se infiere un alto grado de prevención ante enfermedades de los sistemas respiratorio y cardiovascular. Según otros investigadores, el optimismo se vincula a índices más elevados de interacciones positivas y predice la satisfacción marital a largo plazo. También se asocia a niveles más elevados de rendimiento académico y deportivo, a una mejor adaptación profesional y a una mejor vida familiar.

ASPECTOS PRÁCTICOS

REGISTRO DIARIO DE PENSAMIENTOS

Para comenzar a registrar el modo en que se presentan nuestros pensamientos o juicios automáticos, y el impacto que generan sobre nuestras emociones, conductas y sensaciones corporales, intentaremos llevar un *registro diario de pensamientos*. Una herramienta que puede ser de gran ayuda si deseamos investigar un poco más acerca del funcionamiento y los contenidos de nuestra mente. El siguiente esquema nos servirá de modelo para imitar y empezar con nuestras anotaciones.

Situación X o acontecimiento activador	Pensamientos automáticos/ juicios	Emociones	Conductas	Reacciones fisiológicas
Mañana tengo un examen	"Me puede ir mal"	Ansiedad	Distracción al estudiar	Taquicardia. Sensación de ahogo
El perro hizo sus necesidades	"No debe hacer eso allí. Ahora tengo que limpiar"	Enojo	Grito al perro	Ceño fruncido. Tensión muscular

LOS PENSAMIENTOS SON PENSAMIENTOS

Practicaremos el siguiente ejercicio, basado en lo expuesto por Jon Kabat-Zinn en *Vivir con plenitud las crisis* (1990), para comenzar a modificar nuestra relación con los pensamientos. Imagínese todos los problemas que se ahorraría si pudiera tener en claro y a cada momento que los pensamientos son solo pensamientos.

Comenzaremos concentrándonos en cómo entra y sale el aire de nuestro cuerpo.

Cuando se dé cuenta de que la atención se ha desviado, haga una pausa para poder identificar cualquier pensamiento, imagen o recuerdo que revolotee por su mente. A continuación dígase a usted mismo internamente, y a modo de advertencia, "estoy pensando. Los pensamientos son solo pensamientos, fenómenos mentales".

Y con la mayor suavidad y benevolencia posibles, vuelva a dirigir su atención a las sensaciones de la respiración.

LOS PENSAMIENTOS SON PASAJEROS

Para aprender que la naturaleza de los pensamientos es pasajera, practicaremos el próximo ejercicio, basado en lo expuesto por Joseph Goldstein en *Insight Meditation* (1994), que también le será de gran ayuda siempre que la mente tienda a adherirse a los pensamientos de modo tenaz e insistente.

En esta ocasión, convertiremos nuestros pensamientos en el principal foco de atención.

Preste atención a cómo surgen, se desarrollan y desaparecen los pensamientos que revolotean por su mente.

Pueden ayudarle algunas imágenes metafóricas. Por ejemplo, puede visualizar la pantalla de un gran cine, en la cual observa la forma en que se proyectan sus pensamientos e imágenes mentales. Observe la forma en que aparecen y desaparecen.

Observamos nuestros pensamientos como el espectáculo pasajero que realmente son.

También puede visualizar un gran cielo azul, en el cual observa la forma en que los pensamientos aparecen como nubes blancas. Observe cómo vienen y cómo se van. Aparecen y desaparecen.

No forzaremos a los pensamientos para que ocurran. La actitud es la de permitirnos que aparezcan, pero también que desaparezcan.

PENSAMIENTOS Y SENSACIONES CORPORALES

Para reconocer la evidente existencia entre pensamientos, emociones y sensaciones corporales, llevaremos adelante la siguiente práctica, basada en el ejercicio expuesto por Teasdale, Williams y Segal en *El camino del Mindfulness* (2015).

Comencemos concentrándonos en cómo entra y sale el aire de nuestro cuerpo.

Cuando sienta que los pensamientos que aparecen en su conciencia tienen una fuerte carga emocional, y que parecen intrusivos o persistentes, trate de focalizar su atención en las sensaciones corporales que se asocian a dichas emociones y pensamientos.

Preste atención directamente a la zona corporal en la que estas sensaciones son más intensas.

CAPÍTULO 6

SEXTA SEMANA DE ENTRENAMIENTO

AFRONTAR LA ANSIEDAD

"¿POR QUÉ VIVO SIEMPRE ESPERANDO EL MIEDO Y EL TEMOR? ¿Y SI SOMETO ESE MIEDO Y ESE TEMOR MANTENIENDO LA MISMA POSTURA EN LA QUE ESTOY CUANDO ME SOBREVENGA? MIENTRAS CAMINABA, ME SOBREVINIERON EL MIEDO Y EL TEMOR; NO ME QUEDÉ DE PIE NI ME SENTÉ NI ME RECOSTÉ HASTA QUE NO SOMETÍ ESE MIEDO Y TEMOR".

BUDA

ASPECTOS CONCEPTUALES

LAS EMOCIONES NEGATIVAS SON POSITIVAS

Antes de introducirnos en el tema de la ansiedad, quisiera remarcar un aspecto fundamental que se encuentra relacionado a las tres emociones negativas que abordaremos en este programa. Existe una clasificación tradicional de las emociones mediante la cual tendemos a separarlas entre positivas y negativas. Esta nominación dual no es del todo acertada, puesto que las emociones negativas resultan en realidad ser positivas. ¿Cómo es esto posible? La diferenciación conceptual radica en el placer o displacer que nos producen cuando las sentimos: unas se sienten bien, estamos a gusto con ellas, y por eso les decimos *positivas*; las otras en cambio, no son agradables cuando las estamos transitando, entonces les decimos *negativas*.

Sin embargo, las emociones negativas tienen un elevado valor adaptativo, lo cual significa que han contribuido, y contribuyen, a la supervivencia de la especie humana. Todas las emociones sirven para algo y por ende afirmamos que todas son igual de positivas, y es justamente por esta razón que debemos aprender a identificarlas y conectarnos con ellas. Además, las investigaciones demuestran que incrementar la conciencia sobre las emociones se correlaciona con el bienestar.

Pero entonces, ¿qué son las emociones? Y ¿por qué debo abrirme a ellas? Las emociones constituyen un fenómeno multidimensional (incluyen aspectos cognitivos, fisiológicos, conductuales e interpersonales) que nos moviliza hacia objetivos o planes de acción específicos, y cuyo valor adaptativo es crucial para la supervivencia. Tras los descubrimientos de Paul Ekman (psicólogo en quien se inspira la serie televisiva *Lie to me*) se comienza a hablar de emociones básicas, para lograr una categorización entre una extensa diversidad de matices y combinaciones emocionales. Ekman propone que los seres humanos contenemos en nuestra genética un conjunto de emociones que no se aprenden, sino que vienen incluidas con nosotros desde nuestro nacimiento. Estas emociones innatas y universales, que forman parte de nuestra herencia evolutiva, como lo sugería Darwin, son señales específicas que se asocian a determinadas expresiones faciales y reacciones fisiológicas automáticas. El argumento principal de esta teoría encuentra su fundamento en el hecho de que los gestos que se asocian a estas emociones se hallan en los seres humanos de todas las culturas, por lo cual se deduce su universalidad.

“Como las emociones son estados mentales, el método para manejarlas debe venir de adentro nuestro. No existe otra alternativa. No pueden ser liberadas por técnicas externas”.

Dalai Lama

Las seis emociones que describe Ekman son: tristeza, enojo, alegría, miedo, asco y sorpresa. Profundizaremos en tres de ellas, considerando que son las más relacionadas al estrés y al malestar afectivo general.

Las emociones ocurren en el cuerpo y es esta la razón por la cual nos resultan incómodas o displacenteras. El hecho de que las emociones *negativas* sean difíciles de sobrellevar, puede impulsarnos a evitarlas, lo cual, como veremos a lo largo de los próximos capítulos, se traduce en nuevos y mayores problemas. Por esta razón es que trataremos de sintonizar con ellas, entrenándonos para tolerarlas y reconocer lo que nos quieren decir. Abrirnos a las emociones puede brindarnos la clave para ser más conscientes de nuestro entorno y de nosotros mismos.

¿QUÉ ES LA ANSIEDAD?

Son múltiples las definiciones y categorizaciones que se han instalado en torno a la palabra ansiedad, e incluso para muchos investigadores esta emoción difiere del miedo. En el programa MyRE los consideramos sinónimos, dado que los procesos neurológicos y cognitivos que subyacen a ambos son similares. Lo que definamos como *ansiedad o miedo*, y la descripción de sus componentes cognitivos, sociales y fisiológicos, deberán servirnos como una especie de mapa o guía para aprender a identificarla cuando la estemos atravesando, y así de esa manera podremos descifrar lo que nos está señalando.

Según Ronald D. Siegel, psicólogo y profesor asistente en Harvard Medical School, referente internacional en Mindfulness, con quien tengo el agrado de mantener comunicación y compartir diálogos a la distancia (pese a su ocupada agenda laboral), la ansiedad es una *respuesta antigua, cableada, de nuestra mente y cuerpo a cualquier amenaza percibida, independientemente de lo más o menos fuerte que esta pueda ser*. Lo que Ron afirma es que la emoción del miedo ya está “programada” en nosotros al momento de nacer, y efectivamente se conforma por aspectos psicológicos y corporales.

La ansiedad puede ser entendida entonces como una emoción, cuya expresión en el organismo se desencadena ante la anticipación negativa de un estímulo que se percibe como amenazante. Como dijimos antes, todas las emociones sirven para la supervivencia, y el caso del miedo o la ansiedad es un ejemplo muy claro de ello. Si el ser humano no hubiese desarrollado la respuesta del miedo, probablemente la especie ya estaría extinguida. Imagínense ante la presencia de un predador, ¿qué creen que nos sucedería si no sentiríamos miedo? Pero si nos pensamos en la actualidad, es fácil también advertir esto en situaciones de la cotidianidad. Supongamos que debo enfrentarme con un desafío en el trabajo, la ansiedad es la emoción que me permitirá prepararme para afrontar ese reto y salir victorioso. En el caso contrario, ante la ausencia absoluta de ansiedad, puede que la indiferencia me exponga a los riesgos de una forma en la que nada bueno pueda terminar ocurriendo.

Eric Kandel, prestigioso neurocientífico vienés radicado en Estados Unidos, a quien le fue otorgado el Premio Nobel de Medicina en el año 2000, dice al respecto: "La ansiedad es señal de una amenaza potencial que exige una respuesta adaptativa. Como bien señaló Freud, la ansiedad normal ayuda a dominar situaciones difíciles y contribuye, por tanto, al crecimiento individual".

Para lograr un mayor reconocimiento de la ansiedad considero necesario describir sus diversos componentes (físicos, cognitivos y sociales), que nos permitirá comenzar a identificarla con más precisión cuando la estemos atravesando, sin que nos pase inadvertidos. Es frecuente el hecho de no saber qué es lo que sentimos, y ponerle nombre a las emociones es una clave esencial en el proceso de regularlas. De esta manera iniciaré preguntando: ¿cuáles son las reacciones fisiológicas normales de la ansiedad? ¿Qué sensaciones es probable que perciba en mi cuerpo ante un estado de ansiedad, miedo o nerviosismo?

Entre las reacciones físicas normales que podemos advertir, nos encontramos con las siguientes:

- Aumento del ritmo cardíaco, palpitaciones.
- Respiración entrecortada o acelerada.
- Dolor o presión en el pecho.
- Sensación de ahogo.
- Aturdimiento, mareo.
- Sudoración, sofocones, escalofríos.
- Náusea, dolor de estómago, diarrea.
- Tensión muscular.
- Temblores.
- Adormecimiento.
- Sequedad de boca.

BREVES NOTAS SOBRE EL CONTEXTO SOCIAL

Antes de continuar, considero oportuno hacer una referencia, aunque sea breve, a los condicionantes sociales que impactan en nuestra salud emocional. Es notoria la influencia que ejerce nuestra cultura en las configuraciones del malestar, y hay muchas variantes que pueden considerarse en el caso particular de la ansiedad. Por empezar, existe un mandato del mercado que nos insta a ser productivos, rápidos y eficientes. Tenemos que asegurarnos de ir muy rápido en lo que hacemos porque corremos el peligro de quedar excluidos del sistema (desempleados). A esto se le suma la exigencia de acumular capital para así poder comprar todo lo que el mercado impone como moda, de lo contrario también quedaríamos por fuera de lo "culturalmente aceptable". Se hace difícil llegar a fin de mes, y para los que no tienen trabajo es todo aún más complicado. Convengamos en que hay muchas personas que ni siquiera tienen donde vivir. También podemos sumar la importancia que otorgamos a los medios masivos de comunicación cuando nos alertan sobre la inseguridad; el temor que inducen nos deja sin ganas de salir a la calle y a veces con poco entusiasmo para establecer nuevos vínculos. ¿¡No cree que sean demasiados los riesgos!? Si no vivimos preocupados por el trabajo, lo estamos por la familia, y sino mejor nos conectamos a las redes sociales, para no perder la costumbre de una mente acelerada.

Si bien las emociones son inherentes a la naturaleza biológica del ser humano, es muy claro que las condiciones del contexto social pueden propiciar su aparición. Si para adaptarnos a esta sociedad debemos "correr", la ansiedad será una emoción característica de los sujetos que la conforman. Si para tener éxito y sentirnos seguros debemos estar en estado de alerta, la ansiedad será algo muy útil. Ahora bien, el cuerpo y la mente pueden sobrecargarse al punto de generar problemas en la salud. Si decidimos simplemente adaptarnos al modelo de "cultura impuesto", tal vez corramos un riesgo. ¿Cree usted que no tiene un costo para su salud tratar de "ser" alguien que quizás no se corresponde con su verdadera esencia? Y ¿no le parece que muchos de los riesgos que percibe nuestra mente sean una construcción que se origina en los mandatos del mercado? ¿Puede ser un riesgo para su prestigio social no usar esa marca de ropa o no tener ese auto tan especial? Son solo algunas preguntas para continuar reflexionando.

COMPONENTES COGNITIVOS DE LA ANSIEDAD

En el capítulo anterior dejamos en claro, como bien lo explicita el modelo cognitivo, que los pensamientos que atraviesan por la mente determinan nuestra actividad emocional ("el modo en que pienso afecta el modo en que siento"). Entonces, cuando estamos ansiosos o sentimos miedo, ¿qué tipo de percepciones estarían activándose en nuestra mente? ¿Cómo son los pensamientos que generan esta emoción?

La ansiedad y sus niveles de activación dependerán fundamentalmente de dos tipos de pensamientos (recuerde que cuando hablamos de pensamientos, lo hacemos refiriéndonos a interpretaciones automáticas que hacemos de una determinada situación y no a pensamientos conscientes o deliberados, aunque estos también estén incluidos):

1. Percepción de un riesgo, peligro o amenaza.

2. Percepción de ausencia de recursos para afrontar ese riesgo, peligro o amenaza.

Necesariamente, para sentir miedo o ansiedad, debemos percibir un riesgo. Pero la palabra riesgo o peligro no se reduce a situaciones de vida o muerte. Vayamos a un ejemplo concreto y cotidiano: estamos llegando tarde a una reunión y sentimos un gran monto de ansiedad. El hecho de llegar tarde puede ser interpretado como un riesgo – el riesgo de que me juzguen mal, el riesgo de que se enojen conmigo, el riesgo de no estar cumpliendo con lo acordado, etc. –, y esa percepción automática es la encargada de desencadenar la respuesta de ansiedad.

Ahora bien, el nivel de la ansiedad que experimentemos dependerá también de la percepción que tengamos de nuestros recursos para afrontar ese riesgo. Por ejemplo, si debemos dar un examen que consideramos muy difícil, y creemos que no estamos lo suficientemente preparados, la ansiedad será mucho mayor.

Cuando la percepción de un riesgo es elevada y la percepción de los recursos de los que disponemos para afrontar ese riesgo es baja, la ansiedad es elevada. Cuando la percepción de un riesgo es baja y la percepción de los recursos de los que dispongo para afrontar ese riesgo es elevada, la ansiedad es baja. Cuando la percepción de riesgos y la percepción de recursos son equiparables, la ansiedad es moderada.

PERCEPCIÓN DE RIESGO ALTO + PERCEPCIÓN DE RECURSOS BAJOS = ANSIEDAD ALTA

PERCEPCIÓN DE RIESGO BAJO + PERCEPCIÓN DE RECURSOS ALTOS = ANSIEDAD BAJA

PERCEPCIÓN DE RIESGO Y RECURSOS EQUIPARABLES = ANSIEDAD MODERADA

SOBRE EL FUTURO Y LA INCERTIDUMBRE

En el primer capítulo ya habíamos anunciado que cuando nuestra mente habita en el futuro, las emociones se ligan mayormente a la ansiedad, el miedo o la preocupación. Lo que percibimos como un riesgo necesariamente está anclado al futuro, porque es algo “malo” que creemos puede ocurrir, pero no ha ocurrido aún. Es frecuente pensar en todas las cosas de las cuales debemos ocuparnos y esa suele ser una fuente inmensa de ansiedad. Es probable que tras todo ese largo programa de actividades que diseña la mente, se esconda una percepción de que las cosas no vayan a salir como creemos que deberían ocurrir (el riesgo), y esa sospecha constante se traduciría en una ansiedad permanente.

Y como no podemos saber si eso que consideramos peligroso puede ocurrir o no, implica incertidumbre. Es entonces cuando debemos hacer frente a una característica esencial de la vida: la “falta de certeza” o el “no saber”. Íntimamente asociada al desarrollo de la ansiedad, la incertidumbre puede tener un fundamento real o no, y discriminar entre esas razones será esencial para regular el grado de nuestra ansiedad en la vida. Hay asuntos de los cuales no podemos obtener certezas y aceptar la carencia de control será clave, pero otras situaciones, en cambio, permiten un mayor grado de maniobrabilidad, y la ausencia de certezas sobre nuestros recursos para afrontarlas, por ejemplo, quizás solo hallan un fundamento en nuestra mente.

RUMIACIÓN, EVITACIÓN Y ANSIEDAD

En el primer capítulo hicimos mención a estrategias de supervivencia que, en muchos casos, activamos en piloto automático ante el estrés y terminan a la larga produciéndonos más dificultades. Pensemos ahora sobre lo que sucede cuando abordamos la ansiedad mediante la puesta en juego de estas estrategias.

Por un lado teníamos a la *rumiación*, ese mecanismo mediante el cual pensábamos y repensábamos un tema puntual durante una, otra y otra vez. Aprender que el pensamiento es útil y práctico tiene un lado negativo cuando creemos que la solución a nuestros problemas siempre se encuentra en pensar excesivamente.

¿Qué es lo que ocurre si nuestros pensamientos apuntan de manera constante a prevenir el dolor del futuro? ¿Qué sucede si reiterativamente nos ocupamos de prever las consecuencias negativas de cualquier planificación?

La rumiación intensificará la cantidad de pensamientos con contenido "amenazador", lo que traerá aparejado el sostenimiento y/o el incremento de la ansiedad, lo que producirá a su vez mayor estrés, y como ya hemos analizado en el capítulo 4, mayores dificultades en la salud.

"Los humanos hemos desarrollado dos mecanismos de supervivencia altamente adaptativos: una capacidad para el pensamiento sofisticado y un sistema de lucha o huida, dos mecanismos que permitieron a nuestros antepasados hacer frente a amenazas sin fin. El problema es que cuando los dos coexisten en el mismo cerebro, lo predisponen a sentirse asustado la mayor parte del tiempo, así como a desarrollar toda una serie de problemas médicos relacionados con el estrés".

Ronald D. Siegel

Evitar determinados temas o situaciones, porque percibimos que nos generan miedo o ansiedad, es algo mucho más normal de lo que creemos, y puede considerarse un mecanismo normal. Sin embargo, es fundamental advertir el modo en que la estrategia de la evitación logra sostener e incrementar nuestros niveles de ansiedad.

Dado que nunca podremos dejar de temer a aquello que no afrontamos, la evitación se convierte en una solución cortoplacista que mantiene nuestros temores. Pero además de ello, puede también incrementarlos, puesto que al aumentar la distancia entre nosotros y la situación amenazadora, nuestra mente dispondrá del tiempo suficiente para aumentar la discrepancia (y con justificada razón) entre la percepción de riesgo (ahora más ALTO debido a su creciente grado de dificultad para ser afrontado) y la percepción de recursos (ahora más BAJOS debido al hecho percibido de no ser capaz de tolerar esa situación). Observemos un ejemplo: Fernanda tiene 37 años y hasta el momento nunca se animó a dar un paso más en sus relaciones de pareja porque le teme al fracaso. A medida que pasaron los años, acudió a distintas formas que le permitieron eludir esa instancia de mayor compromiso (su excesivo énfasis en los defectos de sus parejas, las salidas nocturnas recurrentes con sus amigas, la sobrecarga de actividades laborales, etc.), y el *fracaso amoroso* es algo que supo mantener alejado. Sin embargo, no se dio cuenta de que su miedo creció, las anticipaciones negativas asociados al malestar de pareja incrementaron y el estado de alerta en relación a ese tema se activa con facilidad. Una parte de Fernanda desea avanzar, pero otra se cree incapaz de soportar la frustración. Su mecanismo de evitación fue tan efectivo (y tan nocivo), que terminó consolidando una personalidad fría, distante y desamorada.

La evitación puede circunscribir exageradamente nuestro campo de acción, limitando realmente nuestras vidas, sobre todo cuando la estrategia se generaliza a cualquier suceso que implique la tensión y el displacer que conlleva la ansiedad.

ANSIEDAD MÁS MENTE ES IGUAL A MAYOR SUFRIMIENTO: EL PÁNICO

En otros capítulos hicimos mención a una ecuación muy simple pero significativa:

DOLOR + MENTE CONFUNDIDA = MAYOR SUFRIMIENTO

Cuando a la ansiedad le agregamos mente, podemos fácilmente generarnos más ansiedad, como lo decíamos antes con el tema de la rumiación, pero también puede incluso llevarnos al punto de desarrollar síntomas más severos, como son los *ataques de pánico*.

En el marco de la Terapia Cognitiva, existe un modelo que explica muy bien la forma en que el *pensamiento catastrófico* resulta la clave en el desarrollo de lo que hoy solemos llamar ataques de pánico. Veamos de qué se trata.

Cuando sentimos ansiedad, se activa una serie de respuestas fisiológicas normales, que son las que mencionamos antes (taquicardia, sensación de ahogo, sudoración, etc.). Ahora bien, cuando esas expresiones son pensadas como una catástrofe (por ejemplo, "Me voy a morir porque me late fuerte el corazón") surge el pánico. La ansiedad se eleva hasta su máximo nivel ante la creencia inminente de que la taquicardia, signo normal de la ansiedad, causará la muerte. Es así que los pensamientos o las interpretaciones desempeñan un papel fundamental en el desarrollo del pánico, encargándose de aumentar la ansiedad al máximo. Cuando esto sucede, lógicamente también aumentan las sensaciones físicas mencionadas, que a su vez refuerzan aún más la idea de que esto podría ocasionar la muerte. De esta manera se instala el reconocido "círculo del pánico".

¿POR QUÉ MINDFULNESS ES BUENO PARA LA ANSIEDAD?

La ansiedad forma parte de nuestra naturaleza, al igual que el estrés o el dolor. Y como tal, pese a que pueda resultarnos incómoda en demasía, tiene una función, y como dijimos al principio de este capítulo, es útil y positiva. No podemos anular la ansiedad o el miedo de nuestras vidas, pero sí podemos anular la ansiedad que generan nuestros pensamientos y reacciones: para eso será esencial que aprendamos, paradójicamente, a aceptar la ansiedad como un aspecto de nosotros.

> **"La práctica de Mindfulness puede ayudarnos a hacer frente a las inevitables amenazas de la vida, tanto grandes, como pequeñas. Puede ayudarnos a ver que la mente y el cuerpo reaccionan de manera parecida en todas esas situaciones, y que al menos algo de miedo o ansiedad aparece de manera bastante habitual".**
>
> **Ronald D. Siegel**

Mindfulness nos enseña a regular nuestra ansiedad de muchas maneras posibles, y en realidad todos los ejercicios que practicamos hasta acá serán útiles para lograr ese cometido.

Si notamos que nuestra mente perdura la mayor parte del tiempo en el futuro, planificando y previendo, el ejercicio de la respiración bastará para dirigir nuestra atención nuevamente hacia el presente. En caso de advertir que nuestros pensamientos son catastróficos, podemos trabajar con los dos primeros ejercicios propuestos en el capítulo anterior: aceptamos esos pensamientos, aprendiendo que son solo pensamientos, y además podemos simplemente dejarlos pasar.

Ahora bien, cuando la ansiedad en mi cuerpo se vuelva intolerable, tengo que aprender a desafiar el mecanismo de la evitación, acercándome a ella y ejercitando la aceptación. Para eso entrenaremos con el ejercicio desarrollado en la cuarta semana del programa, pero enfocándonos en las sensaciones corporales incómodas asociadas a la ansiedad.

AFRONTAR LA ANSIEDAD

En el capítulo 4 desarrollamos el modo en que la aceptación resultaba clave para eludir ese "estrés plus" que tiende a generar nuestra propia mente con la activación automática de juicios y reacciones ante el estrés primero, que dijimos forma parte de nuestra naturaleza. De igual forma hicimos mención al modo en que ciertas estrategias como la rumiación y la evitación ante la ansiedad pueden traernos mayores problemas. Concluimos entonces en que la llave más importante para abordar nuestra ansiedad será afrontarla. Hay un monto de ansiedad y miedo en nuestras vidas que es ineludible, y que de hecho está bien fundado, por ende, si pretendemos liberarnos de la ansiedad ocasionada por nosotros mismos, será importante que continuemos entrenando la aceptación, en esta ocasión, metiéndonos de lleno en nuestros temores. Y como ya dijimos que las emociones ocurren en el cuerpo, la mejor manera de hacerlo es conectándonos con las sensaciones de incomodidad que genera la ansiedad. Aprenderemos de esta manera que somos capaces de sentir ansiedad, sin que eso implique una catástrofe. Recordemos que una de las características de la regulación emocional se asocia a lograr una tolerancia de las emociones difíciles, sin que eso signifique el colapso.

"...para prepararnos, será provechoso tener cierta idea de lo que es acercarse en vez de evitar el miedo. Una manera de hacerlo es generando deliberadamente un estado de ansiedad y practicar el estar *con ella*. Esto aumenta nuestra capacidad para soportar el miedo".

Ronald D. Siegel

Aunque vaya a resultarnos incómodo, nos daremos la oportunidad de conocer la capacidad que disponemos para tener mayor dominio sobre nosotros mismos y darnos cuenta de que la ansiedad, al igual que las otras emociones, es pasajera y no debe teñir toda la realidad. Como dijimos en el capítulo anterior, resulta fundamental ser conscientes de que no somos nuestros pensamientos, de la misma manera que es trascendental comprender que tampoco somos nuestras emociones.

"De esta forma, practicar la conciencia de cada momento equivale a enseñar a nuestro cuerpo y a nuestra mente a desarrollar la calma cuando nos sentimos dominados por sentimientos de ansiedad. Cuando más meditemos, más nos acercaremos a la percepción de que nosotros no somos nuestra ansiedad y nuestros temores, y por tanto, estos no tienen por qué dominar nuestras vidas".

Jon Kabat-Zinn

Aprender que podemos estar relajados pese a la ansiedad, con el dilema que eso conlleva, será un desafío interesante de afrontar.

ASPECTOS PRÁCTICOS

PARA PENSAR Y REGISTRAR POR ESCRITO

¿En qué momento/s del día me sentí ansioso/a?

____

____

____

Si tendría que ponerle un número del 1 al 10 a ese episodio, en donde 1 es el mínimo y 10 el máximo de ansiedad posible, ¿qué número le pondría?

____

____

____

¿Qué hice en ese momento? ¿Cómo reaccioné? ¿Qué conductas llevé adelante? ¿Traté de hacer algo para que esa ansiedad disminuyera?

____

____

____

¿De qué manera sentí la ansiedad en mi cuerpo? ¿En qué parte? ¿De qué forma?

____

____

____

¿Qué se me cruzaba por la mente en ese momento? Recuerde que la ansiedad está ligada a pensamientos que se asocian al peligro o riesgo, tienen que ver con el futuro, e implican incertidumbre. Además pueden asociarse a la percepción de que no estamos preparados, o no contamos con los recursos, para afrontar ese peligro.

___

___

___

¿El motor de la ansiedad estaba relacionado a un suceso real, o el riesgo fue mayormente construido por mi mente?

___

___

___

¿Qué actividades o conductas evité porque temo que me hagan sentir ansioso? ¿Cómo limitó esto mi vida?

___

___

___

EJERCICIOS DE MINDFULNESS PARA LA ANSIEDAD

- Si nos damos cuenta de que nuestra ansiedad está mayormente ligada a la creación de planes y nuestra mente perdura durante mucho tiempo en el futuro, practicaremos **Mindfulness centrado en la respiración**.
- Cuando el motor de nuestra ansiedad esté dado por pensamientos automáticos de contenido catastrófico (va a salir todo mal, si eso sucede será muy grave, no podré vivir con eso, etc.) profundizaremos en el ejercicio de **los pensamientos son pensamientos**.
- Cuando notemos demasiada rumiación y preocupación excesiva, echaremos mano al ejercicio de **los pensamientos son pasajeros**.

- Y cuando la ansiedad se convierta en algo que creemos intolerable, y no hacemos otra cosa más que evitarla, llevaremos adelante el ejercicio de **Mindfulness y aceptación**, pero lo haremos centrándonos en sensaciones corporales ligadas a la ansiedad. En caso de no percibir ninguna, trataremos de generarlas mediante pensamientos e imágenes mentales y nos acercaremos a ellas, intentando permanecer allí pese a que sean displacenteras. Este ejercicio resultará de mucha importancia si deseamos incrementar nuestra capacidad para tolerar la ansiedad.

En realidad, durante cualquier ejercicio de Mindfulness pueden surgir sensaciones relacionadas a la ansiedad, y es posible que deseemos levantarnos y dirigirnos hacia otro lugar, o queramos simplemente abrir los ojos y pensar en otra cosa. Resulta muy importante que podamos advertir esto y regularlo a conciencia, puesto que será el aprendizaje clave que luego podremos trasladar a la cotidianidad ante situaciones en las que nos veamos invadidos por sensaciones similares. Y es así como podremos llegar a eludir el malestar que generan los juicios y las reacciones que se activan automáticamente ante las situaciones que nos provocan ansiedad.

MINDFULNESS AL CAMINAR

Otro ejercicio que me gusta considerar, sobre todo para las situaciones en las que nos resulta muy difícil mantenernos sentados, es la opción de practicar caminando. Aunque pueda resultarnos complicado permanecer sentados con la agitación de la ansiedad, quizás sí podamos andar con ella mientras caminamos, y no estaría mal aprovechar la oportunidad para hacerlo con conciencia plena. Intentaremos con el siguiente ejercicio:

Comience quedándose parado durante unos minutos. Sea consciente de su cuerpo, su postura y su respiración.

Luego comenzará el recorrido. Caminará lentamente, fijando la atención en la zona de sus piernas, pero fundamentalmente en la planta de los pies. Es capaz de percibir las sensaciones al levantar y apoyar los pies sobre el suelo.

Perciba la forma en la que su pie se levanta, se dirige hacia adelante y se apoya.

También podrá percibir el esfuerzo que realizan los músculos de sus piernas y los movimientos en otras partes del cuerpo, como los brazos y las manos.

Vaya de un extremo a otro del recorrido. Puede variar las velocidades, siendo consciente de los efectos en los distintos casos.

Recuerde que el ejercicio constituye una práctica formal, por lo que le aconsejamos que se encuentre en un lugar en el que no le preocupe que otras personas puedan estar observándolo. Informalmente también puede practicar Mindfulness al caminar, solo debe intentar conducir la atención a la planta de sus pies y al contexto que atraviesa a medida que avanza en su recorrido.

CAPÍTULO 7
SÉPTIMA SEMANA DE ENTRENAMIENTO

SINTONIZAR CON LA TRISTEZA

"NO PUEDO EVITAR QUE LAS AVES DE LA TRISTEZA VUELEN SOBRE MI CABEZA, PERO SÍ QUE ANIDEN EN MIS CABELLOS".

PROVERBIO CHINO

ASPECTOS CONCEPTUALES

SOBRE LA TRISTEZA

Angustia, pena, desdicha, nostalgia, amargura y desconsuelo, entre otras tantas, son palabras que habitualmente utilizamos para referirnos a la tristeza. Una emoción difícil que, aunque a veces pueda resultarnos complicada de entender, también es importante y necesaria.

Tal como lo advertimos en el capítulo anterior dedicado a la ansiedad, todo lo que describiremos sobre la tristeza debe servirnos para ayudarnos a reconocer con más facilidad esta emoción, saber de qué se trata y descubrir qué es lo que nos está ocurriendo al transitarla. Trazar un mapa emocional y ponerle nombre a lo que sentimos nos permitirá sintonizar mejor con nosotros mismos. Recordemos que la regulación emocional comienza con la identificación de lo que estamos sintiendo y Mindfulness nos proporciona una posibilidad ideal para que ello ocurra.

Si recordamos algún momento o período de nuestras vidas en el que la tristeza se hizo presente, seguramente notaremos que hemos experimentado una disminución de la energía o del entusiasmo por las actividades cotidianas. El cansancio físico y/o mental puede expresarse como una característica normal de esta emoción, incluso el tono de voz puede ser más bajo, disminuyendo el volumen y la velocidad del habla. De la misma forma, algunos gestos faciales sueles ser típicos de la tristeza, tal como los describe Paul Ekman: párpados superiores caídos, mirada perdida y los extremos de los labios caídos ligeramente. Las lágrimas, que son producidas por el sistema nervioso autónomo, pueden informarnos claramente sobre lo que estamos sintiendo; es una expresión muy común de la tristeza, que incluso ayuda a comunicar a los otros el estado por el que estamos atravesando.

La importancia de sintonizar con la tristeza radica en el hecho de que esta emoción nos impulsa a superar las pérdidas y decepciones, contribuyendo en la aceptación de lo acontecido, y permitiéndonos integrar esta nueva situación que nos toca afrontar a nuestras vidas. La tristeza nos dirige hacia estados de introspección, mediante los cuales podemos elaborar las pérdidas, con el objetivo de adaptarnos y avanzar hacia nuevos comienzos. La tristeza es una forma natural, necesaria y saludable de despedirnos y decir adiós; tal como recita la canción del músico argentino Gustavo Cerati: “poder decir adiós es crecer”.

Si tuvieron la oportunidad de mirar la película animada *Intensamente* (en inglés *Inside Out*), que trata sobre el funcionamiento de las emociones en Riley Andersen, una niña de 11 años afectada por la decisión familiar de mudarse lejos de su antigua casa, quizás alcanzaron a notar que el personaje "Tristeza" cumplía un rol fundamental en la trama y el desenlace de la historia, dado que sin ella y su accionar no era posible para la protagonista seguir adelante con su vida y adaptarse a los cambios que había atravesado su familia.

"La tristeza refuerza una especie de retirada reflexiva de las actividades de la vida y nos deja en un estado suspendido para llorar la pérdida, reflexionar sobre su significado y finalmente, hacer los ajustes psicológicos y los nuevos planes que nos permitirán continuar con nuestra vida".

Daniel Goleman

Además de ello, podríamos atribuir a la tristeza algunas funciones más:

- La ayuda que provee para reconocer el verdadero valor e importancia de aquello que nos toca perder.
- Y tal como lo plantea Ronald Siegel: "...sin la tristeza en cuanto parte integrante de nuestra vida emocional, ¿podríamos ser realmente capaces de reconocer la alegría?"

COMPONENTES COGNITIVOS DE LA TRISTEZA

Comenzaremos ahora haciéndonos las mismas preguntas que realizamos en el capítulo anterior, pero enfocadas esta vez en la tristeza: ¿qué estamos interpretando o percibiendo cuando nos sentimos tristes? ¿Qué tipo de pensamientos o evaluaciones son los causantes de activar esta emoción?

La palabra clave es **pérdida**. Cuando estamos tristes es porque percibimos una pérdida de algo/alguien significativo en nuestras vidas. Puede ser un ser querido, un objeto, una relación, un trabajo, la salud, o lo que sea, percibido como algo de valor para nosotros. No es lo mismo perder una lapicera cualquiera que perder una lapicera que quizás heredamos de un tatarabuelo y apreciábamos por su valor afectivo y simbólico.

En la cotidianidad, son múltiples los motivos percibidos por los cuales podemos ponernos tristes:

- Perder una oportunidad laboral si nos fue mal en una entrevista de trabajo.
- Perder la posibilidad de avanzar en la carrera, si nos fue mal en un examen.
- Perder un partido si somos deportistas.
- Perder la imagen que teníamos de una persona cuando hizo algo que no esperábamos de ella.
- Perder cualquier situación o característica de nuestra vida con la que nos sentíamos cómodos.

Y en las ocasiones más dolorosas:

- Perder a un ser querido.
- Perder nuestra salud.
- Perder una relación íntima y de confianza.

Dado que el cambio y la transformación es lo habitual en nuestra realidad, la pérdida también es una moneda corriente y constituye un desafío diario. Incluso cuando debemos tomar una decisión afrontamos la pérdida de aquello que no elegimos.

"¿Tiene que ser así? ¿Tengo que perderlo todo? Nada se pierde —dijo ella—. Todo se transforma."

Fragmento de la *Historia interminable* de Michael Ende

RUMIACIÓN, EVITACIÓN Y TRISTEZA

Son diversos los motivos por los cuales tendemos a evitar la tristeza. Culturalmente podríamos afirmar que nos encontramos en una sociedad obsesionada con el éxito personal; por tanto, la expresión de la tristeza (asociada al fracaso y la derrota) suele ser muy fácil de reprimir y ocultar. Lo que me gusta llamar "cultura del *smile*" nos invita a ser felices todo el tiempo ("debo sentirme bien") e instala en el imaginario social un concepto que equipara la felicidad con la falta de amarguras. Esto puede considerarse un verdadero riesgo, dado que nos impide sintonizar abiertamente con nuestra naturaleza emocional. Si creemos que la felicidad no puede verse interrumpida por la tristeza, u otras emociones, aprendemos que la aparición de las emociones difíciles constituye una amenaza, y eso podría resultar un factor clave en nuestro bloqueo emocional.

El temor a la depresión suele ser otro de los motivos por los cuales evitamos la tristeza. No es poco común que confundamos a ambos fenómenos, creyendo que por atravesar un momento de abatimiento, llanto o falta de energía, nos lanzaremos a la cama y no podremos salir de allí. Profundizaremos este punto en el apartado siguiente.

Finalmente, evitamos la tristeza porque no es una emoción agradable de sentir y es por ello que practicar Mindfulness podría resultar tan importante; como con cualquiera de las otras emociones difíciles, nos enseña a estar con ella.

¿QUÉ SUCEDE SI EVITAMOS LA TRISTEZA?

Se posterga: tarde o temprano la mente debe sanar, y evitar la tristeza retrasa el proceso natural de reparación que nos posibilita salir adelante y crecer psicológicamente.

Se acumula: no es inusual que ante una pérdida nos pongamos tristes por otras pérdidas anteriores, generando un nivel de expresión emocional que aparenta ser inadecuado para las circunstancias.

Nos enferma: la represión de la tristeza se asocia al desarrollo de afecciones orgánicas, emocionales y psicosomáticas. Además la evitación puede darse por medio de sustancias, lo que puede producir el desarrollo de adicciones, como lo mencionamos en capítulos anteriores. La sobrecarga de actividades (laborales o de esparcimiento) puede ocasionar también una nueva fuente de estrés crónico y enfermedad.

Nos limita: como afirma Ronald D. Siegel, intentar eliminar la tristeza de nuestras vidas puede conducirnos a un aplacamiento de nuestra vida emocional general. Y además de ello, nos impide experimentar situaciones nuevas, como la de abrirnos a una relación de pareja por temor a salir heridos. En palabras de Paulo Coelho, una pregunta que cabría sería: “¿Cuántas cosas perdemos por miedo a perder?”.

RUMIAR TAMBIÉN LO EMPEORA TODO

Alimentar la tristeza con pensamientos negativos estancos y repetitivos constituye una de las características esenciales en la depresión. La rumiación, además de ser uno de los caminos que conducen al exceso de ansiedad, puede atascarnos en un círculo de tristeza profunda difícil de romper.

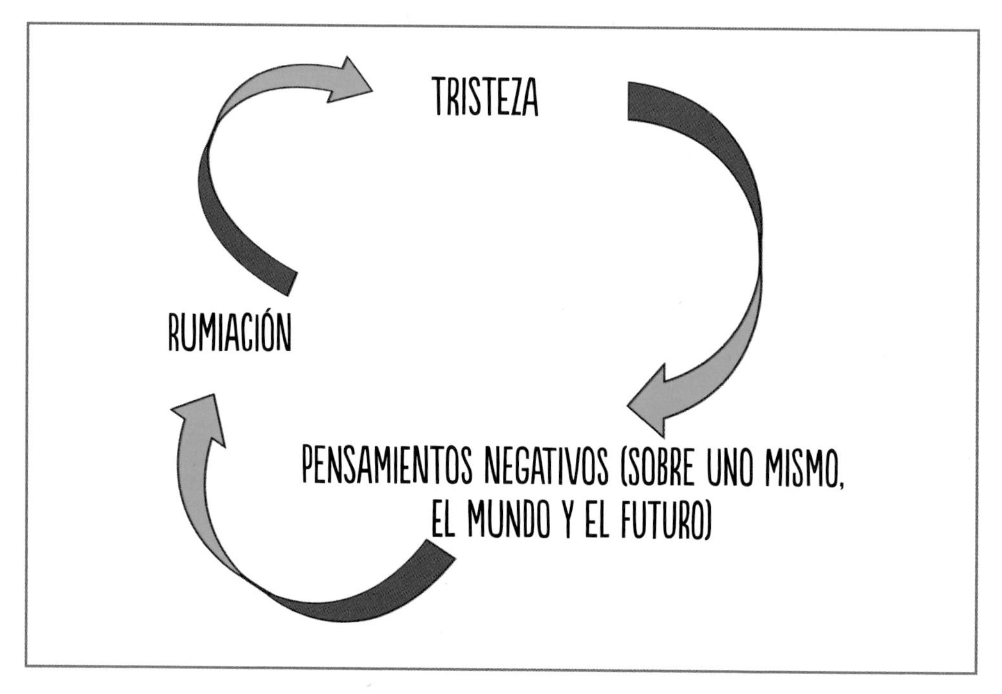

Los pensamientos negativos generan tristeza; y mientras afronto la tristeza con rumiación, aumento los pensamientos negativos sobre mí, los otros y el futuro, lo cual a su vez continúa generando más tristeza y más pensamientos negativos, y más tristeza... Advertimos así un círculo vicioso, en el que afrontar una emoción difícil desde el pensamiento recurrente y exagerado puede perpetuarla y acarrearnos mayores dificultades. Quedarnos atrapados en los *¿por qué?* de las cosas que ya ocurrieron (en lugar de abrirnos al *para qué* de las emociones) es una de las causas por las cuales nos vemos imposibilitados para encontrar nuevos horizontes.

La rumiación trabaja según el *modo hacer* descripto en el capítulo 2, orientado a la acción; y en la búsqueda de resolver la tristeza mediante pensamientos, termina incrementando la infelicidad y generando un nuevo problema. ¿Por qué ocurre esto? El modo orientado a la acción, para resolver un problema, necesita tener presente la diferencia entre el lugar en el que nos encontramos (presente) y en donde deseamos estar (futuro). Pero cuando las dificultades se vinculan a nuestra vida interior (afirman Teasdale, Williams y Segal), la diferencia que nuestra mente evalúa es entre el **tipo de personas que somos y el tipo de persona que queremos ser, y esto no hace más que recordarnos cuán lejos estamos de donde sentimos que necesitamos estar, creándonos mayor tristeza**.

TRISTEZA NO ES DEPRESIÓN

Es fundamental entonces advertir esta diferenciación entre la tristeza, como emoción básica y natural, de la depresión, considerada un cuadro psicopatológico.

La depresión, según la Organización Mundial de la Salud (OMS), es un trastorno mental frecuente, que se caracteriza por la presencia de tristeza, pérdida de interés o placer, sentimientos de culpa o falta de autoestima, trastornos del sueño o del apetito, sensación de cansancio y falta de concentración. Puede llegar a hacerse crónica o recurrente y dificultar sensiblemente el desempeño en el trabajo o la escuela y la capacidad para afrontar la vida diaria. En su forma más grave, puede conducir al suicidio. Si es leve, se puede tratar sin necesidad de medicamentos, pero cuando tiene carácter moderado o grave se pueden necesitar medicamentos y psicoterapia profesional.

Ahora bien, tratemos de identificar los componentes cognitivos (mente) que se agregan a la tristeza para transformarse en depresión:

¿TRISTEZA + MENTE CONFUNDIDA = DEPRESIÓN?

TRES MODOS ERRÓNEOS DE INTERPRETAR

- *Percepción de que el sufrimiento actual perdurará* y de que nunca podremos liberarnos de él (juicio negativo sobre el futuro). Resulta muy común observar en las personas que padecen depresión este tipo singular de interpretar la situación por la que atraviesan. Creen que el dolor que les ocasiona la tristeza nunca cesará, o que no encontrarán la forma de hacerle frente. Una perspectiva negativa del futuro que se relaciona íntimamente a lo que se conoce como desesperanza, fundamentada en la idea de que hagamos lo que hagamos, el dolor permanecerá y nada bueno nos espera. Como en realidad sobre el futuro no podemos asegurar nada, afirmamos que esa anticipación negativa se equipara a una interpretación irracional.

- *Percepción de que perdimos lo único que le daba sentido a nuestras vidas* (juicio negativo sobre todo lo que nos rodea, "nada vale la pena"). Puede que la reactividad que genera la tristeza nos impulse a enfocarnos exclusivamente en la pérdida; sin embargo, la creencia de que no existen otras cosas por las que seguir viviendo constituye una idea peligrosa. Mientras hacía mi residencia en el hospital, era habitual frecuentar pacientes con estos pensamientos, pero cuando los entrevistaba y comenzaba a indagar, siempre descubría que tenían otros motivos por los cuales seguir viviendo. Viktor Frankl solía realizarles a sus pacientes la siguiente pregunta: "¿Por qué no se suicida?". Pese a la brusquedad con la que suene, a partir de las respuestas a ese interrogante el psiquiatra lograba reconocer en las personas aquellos motivos que tenían para seguir adelante.
- *Percepción de que somos exclusivamente responsables por la pérdida que sufrimos* (juicio negativo sobre nosotros mismos). Este componente está ligado al autorreproche y la culpa, tan característica en la depresión. Creemos que hicimos algo indebido, y esa es la única razón por la cual hemos sufrido la pérdida; pero además de ello, nos juzgamos a nosotros mismos de manera global ("soy una mala persona", "soy un idiota", "soy horrible", "soy inservible"). Analizar los diferentes factores externos que también pueden haber contribuido en el desenlace de la pérdida sufrida y calificar nuestras conductas en lugar de la totalidad de nuestra persona pueden ser herramientas de ayuda para combatir esta creencia irracional.

Quizás en situaciones de tristeza tendemos a interpretar de alguna manera similar a las descriptas antes, y no necesariamente eso implique que estemos depresivos. Sin embargo, es importante destacar que generalmente en las personas con depresión este tipo de creencias suelen estar presentes. Entonces es fundamental que estemos al tanto de esto, para que en los momentos de tristeza podamos diferenciar el hecho de estar angustiados por lo que perdimos realmente, del sufrimiento que puede llegar a ocasionarnos nuestra propia mente.

También es cierto que los factores genéticos y los neurotransmisores pueden predisponernos a la depresión; sin embargo, la forma en que trabajemos con nuestras emociones jugará un papel enorme. Esto no quiere decir que en muchas ocasiones los medicamentos no puedan ser útiles, pero al utilizarlos para modular los síntomas, podrían permitirnos trabajar con nuestras emociones de una manera más efectiva.

POR QUÉ MINDFULNESS ES BUENO PARA PREVENIR LA DEPRESIÓN

Las investigaciones desarrolladas por Teasdale, Williams y Segal, quienes desarrollaron un programa específico de Terapia Cognitiva basada en Mindfulness para la depresión, concluyen que el mecanismo mental por el cual las personas que han sufrido episodios depresivos son mayormente vulnerables a padecer una recaída es la rumiación. De esta forma, algunas interpretaciones negativas, como las mencionadas anteriormente, se sostienen en el tiempo. Por esta razón, decidieron desarrollar una forma eficaz que instruya a sus pacientes a modificar la relación que tenían con sus pensamientos, pudiendo determinar que la clave era enseñarles a comprender sus pensamientos como eventos mentales pasajeros. Luego de ponerse en contacto con la práctica de Mindfulness, comenzaron a guiar a sus consultantes en la adquisición de la técnica y evaluaron que los resultados para prevenir recaídas eran sumamente eficaces.

"La preocupación rumiativa puede transformar una tristeza pasajera en una prolongada depresión. La práctica de Mindfulness cultiva una poderosa y atractiva alternativa al modo de funcionamiento de la mente que impulsa a la acción. Pone fin a la rumiación y permite que las emociones negativas pasen a su debido tiempo, sin mantenernos sumidos en un hondo y prolongado sufrimiento".

Teasdale, Williams y Segal

En mi consulta privada, tuve la oportunidad de acompañar a variar personas en situación de duelo, y realmente pude comprobar que la esencia de Mindfulness proporciona unas herramientas increíbles para afrontar el dolor, y no dejarnos arrastrar por nuestra *mente confundida*. La posibilidad de centrarnos en las sensaciones del cuerpo (más que en nuestros pensamientos), de volver la atención al presente, y de aprender a tomar distancia de nuestra propia mente, son elementos claves que podrán ayudarnos en situaciones de angustia y melancolía.

SINTONIZAR CON LA TRISTEZA

Marcos tiene alrededor de 50 años, es médico cirujano, y acaba de separarse de su esposa. Luego de varias idas y venidas, ella le comunicó que ya no quería volver más con él, y además de ello, que se estaba viendo con otro hombre. Cuando Marcos acudió a la consulta, se encontraba sumamente angustiado, pero también estaba muy preocupado por su estado anímico. Y es que él se considera una persona muy activa y eficaz, nunca había imaginado que atravesaría una situación similar. Además de ofrecerle un espacio para escucharlo y brindarle contención, acordamos que le enseñaría Mindfulness. El objetivo siempre fue el mismo: que pueda centrarse en su tristeza, destacando que era algo coherente con la situación que atravesaba: la pérdida de una relación muy valiosa para él. En pocas sesiones, Marcos pudo darse cuenta de que en realidad no estaba atravesando una enfermedad, sino que era tristeza, una emoción normal, y la práctica de Mindfulness le permitió experimentarla sin temores. "Me estoy permitiendo sentir, incluso hay momentos en los que lloro, pero luego continúo normalmente con mi vida. No dejo que la mente empeore las cosas. Si estoy triste es porque perdí algo importante, ni más, ni menos", relata Marcos.

Mindfulness también puede abrirnos una puerta de conexión con la tristeza y la importancia radica en el hecho de ayudarnos a comprender, con mayor eficacia, para qué estamos sintiendo lo que sentimos. Como dijimos antes, todas las emociones pueden sernos de utilidad y la tristeza no es la excepción. Aceptar lo que perdimos para salir adelante y crecer es la función adaptativa que promueve la tristeza, y Mindfulness puede conformar una vía de acercamiento a ella, sin temores, para que los procesos dolorosos que debemos atravesar no sean más difíciles y perturbadores.

"La práctica de Mindfulness nos permite abordar nuestros talantes negativos con interés y curiosidad. Puede ayudarnos a no temer a la desesperación, sino, antes bien, a volvernos hacia nuestra desazón y preguntar: ¿qué es esto? ¿Qué puedo observar sobre el funcionamiento de la mente mientras estoy con este estado anímico? A veces conduce a importantes descubrimientos sobre quiénes somos".

Ronald D. Siegel

Si nos animamos a encarar la angustia con entereza y entendemos que el hecho de experimentarla no constituye en realidad un proceso patológico sino natural, seguramente aprenderemos a estar con ella, pero no para quedarnos en ese estado indefinidamente, sino para transitarla (considerando que es pasajera), descifrarla y seguir con nuestras vidas, comprendiendo que podemos afrontar más de lo que a veces creemos. Cuando no estamos convencidos de nuestra capacidad para tolerar algunas emociones, nos volvemos más proclives a la desregulación y el colapso. Durante la práctica de Mindfulness, nos es posible observar que los estados emocionales también son pasajeros y esto puede ser en verdad muy tranquilizador.

Finalmente, recordamos una vez más, que la aceptación de la dificultad puede liberarnos del afrontamiento inadecuado que a veces impulsa mecanismos como la evitación y la rumiación, estrategias que, como vimos antes, pueden entorpecer o empeorar el proceso normal de la tristeza. Sintonizar con ella será esencial para superar la pérdida, por lo que cultivar nuestra habilidad para estar en el presente, sin juzgar y con aceptación, se transformará en una tarea indispensable si deseamos afrontarla del modo más adecuado.

ASPECTOS PRÁCTICOS

EJERCICIOS DE MINDFULNESS PARA SINTONIZAR CON LA TRISTEZA Y PREVENIR LA DEPRESIÓN

- Considerando lo expuesto con anterioridad, un ejercicio fundamental que podríamos practicar para aprender a sintonizar con la tristeza es el de **Mindfulness y aceptación**, pero centrándonos, esta vez, en las sensaciones corporales ligadas a la tristeza. Puede resultarnos muy difícil deliberar y decidir meternos en la tristeza de lleno; sin embargo, quizás a largo plazo, sea lo más conveniente. Recordemos que para perder el miedo a las emociones debemos animarnos a estar con ellas. Además, de esta manera, conoceremos la forma en que la tristeza se manifiesta en nuestro cuerpo, lo que nos abrirá las puertas a su pronta identificación cuando nos encontremos transitándola.

- El **respiro de tres minutos**, tan importante en el programa de Terapia Cognitiva basada en Mindfulness para la depresión, puede convertirse en un salvavidas capaz de ofrecernos otra perspectiva a los problemas que nos enfrentamos. Salirnos del piloto automático, que suele impulsar mecanismos como la evitación o la rumiación, puede resultar una hazaña de pocos minutos.

- El **escáner corporal** nos distrae de nuestros pensamientos para centrarnos en las sensaciones del cuerpo. Si nos damos cuenta de que la rumiación es una constante en nuestras vidas, quizás sea positivo continuar profundizando en la práctica de este ejercicio.

- Si advertimos que el contenido de nuestra mente se sobrepasa con interpretaciones erróneas como las descriptas más arriba en "Tristeza no es depresión", el ejercicio de los **pensamientos son pensamientos** será de gran ayuda para diferenciar el dolor ocasionado por nuestra pérdida real, del generado por nuestra mente. Pero fundamentalmente, aprenderemos a tomarnos esos pensamientos con mayor liviandad, reconociendo que solo son pensamientos.

- Resulta fundamental también, para prevenir la depresión, trabajar en considerar esos pensamientos como fenómenos momentáneos, por lo que practicaremos los **pensamientos son pasajeros**.

- El ejercicio de **pensamientos y sensaciones** puede sernos de gran utilidad para reconocer la conexión entre los patrones de pensamiento que reproducimos en nuestra mente, las emociones y las sensaciones del cuerpo. Identificar la forma en que dichos patrones repercuten en nuestro estado de ánimo, y viceversa, incrementará la conciencia sobre nuestro funcionamiento emocional actual.

LA PRÁCTICA DEL TÓNGLEN

Ronald D. Siegel propone un ejercicio que me resultó muy interesante y efectivo, por lo que decidí enseñárselos a mis alumnos e incluirlo en este programa. Tónglen significa "dar-tomar", y consiste en una práctica tibetana milenaria que podemos practicar cuando atravesamos momentos de tristeza.

Empecemos encontrando una postura de meditación, sentándonos bien y respirando profundamente. A continuación, generaremos en la mente una imagen de alguien que sepamos que está sufriendo ahora; y si estamos haciendo frente a la tristeza, la ira o la depresión, podemos centrarnos en alguien que esté particularmente triste, airado o desesperado. Con cada inspiración, imaginaremos que respiramos el dolor de la persona sufriente, y con cada espiración enviaremos a la persona augurios de paz, felicidad o cualquier otra cosa que creamos que puede aliviarle el sufrimiento. Se trata con ello de absorber plenamente el dolor de otra persona y de practicar el estar con esto al tiempo que mandamos una intención afectuosa a esta persona.

Este ejercicio, además de permitirnos incrementar la compasión (tema que abordaremos en el siguiente capítulo), aumenta nuestra capacidad para tolerar la angustia y el malestar psicológico. Al enfocarnos en otras personas que también se sienten tristes, nos veremos menos solos en nuestro dolor, podremos percibirnos como eficaces mientras nos animamos a conectarnos con la tristeza, y al mismo tiempo abriremos el corazón para ayudar a alguien más.

Sin embargo, es importante considerar que a algunas personas puede resultarles un tanto abrumador, sobre todo si se encuentran atravesando emociones muy intensas. Cuando sea el caso, propongo que comiencen el ejercicio enfocando la compasión hacia ellas mismas, "con cada inhalación, respiro mi propio sufrimiento, y con cada exhalación me envío sentimientos agradables". Luego, cuando estemos más cómodos, intentaremos visualizar a otra persona y hacer lo mismo por ella, como se sugiere más arriba.

Las investigaciones demuestran que ayudar a los demás reduce nuestros niveles de ansiedad, estrés y depresión, al tiempo que incrementa nuestras emociones positivas. Si bien la práctica del Tónglen consiste en un ejercicio de meditación, podemos traducirlo a la cotidianidad mientras colaboramos con acciones concretas para que otras personas se sientan mejor.

El siguiente es un fragmento de una carta de Albert Einstein en respuesta al pedido de ayuda de un rabino que no podía consolar a su hija de 19 años, luego de haber sufrido la pérdida de su hermana. El concepto de compasión que desarrollaremos en el siguiente capítulo se deja entrever en las palabras del científico más famoso de todos los tiempos y ganador del Nobel: "Un ser humano forma parte de un todo al que denominamos ´universo´, una parte limitada en el tiempo y en el espacio. Se experimenta a sí mismo, a sus pensamientos y sensaciones como a algo separado del resto, como una ilusión óptica de su conciencia. Esta ilusión constituye para nosotros una prisión que nos limita a nuestros deseos personales y al afecto hacia unas cuantas personas cercanas a nosotros. Nuestra tarea ha de ser la de liberamos de esa prisión, ampliando nuestro círculo de compasión hasta abarcar a todas las criaturas vivientes y a toda la naturaleza en su belleza. Nadie logra esto del todo, pero luchar por intentarlo forma ya parte de esa liberación y constituye una base para la seguridad interior".

CAPÍTULO 8

OCTAVA SEMANA DE ENTRENAMIENTO

EXPLORAR EL ENOJO

"AFERRARSE A LA RABIA PUEDE SER COMO AGARRAR UN CARBÓN ARDIENDO CON LA INTENCIÓN DE TIRARLO A ALGUIEN; ERES TÚ QUIEN TE QUEMAS".

BUDA

ASPECTOS CONCEPTUALES

SOBRE EL ENOJO

El enojo es una emoción con la cual puede que estemos más familiarizados, aunque abunden situaciones durante las cuales no nos damos cuenta de que nos encontramos bajo su impulso. Existen múltiples motivos a diario por los cuales puede resultarnos muy fácil enojarnos, e incluso puede ser que de las emociones difíciles sea la que nos damos permiso de expresar con mayor soltura. Pareciera, además, que a veces buscamos justificar el enojo. Una pregunta que suelo realizarme internamente frente a las personas enojadas es: "¿qué estará ocultando o tapando con este enojo?". Y es que no resulta tan raro que nos enojemos para evitar sentirnos tristes o ansiosos, de hecho puede que utilicemos el enojo para tonificarnos y colmarnos de vigor. A los niños, por ejemplo, les fascina la ira verde del increíble Hulk, un superhéroe que se fortalece cuanto más se enoja; sin embargo, es sabido que el Dr. Banner debe vivir aislado de sus seres queridos para no ocasionarles daño alguno.

Por el contrario, seguramente también conoceremos a una de esas personas que "no se enoja nunca", seres que a pesar de estar muy en desacuerdo o percibirse injuriados, optan por acallar la rabia a toda costa, dado que temen a la discrepancia o a la descalificación de los otros. Veremos luego que esta forma de "resolver el enojo" tampoco nos ofrece una vía demasiada saludable, dado que el enojo, como toda emoción, puede contribuir a la supervivencia y a una vida más agradable y placentera.

Ahora bien, ¿qué sucede en el organismo cuando estamos enojados? Una pregunta cuya respuesta siempre puede proveernos herramientas para la identificación emocional. En primer lugar, la ciencia revela que, a diferencia de la tristeza, el enojo nos dota de energía para actuar con rapidez. El corazón bombea sangre velozmente y la distribuye a los músculos, preparándolos para la acción, por lo cual, la frecuencia cardíaca y la presión arterial aumentan.

Este incremento de la energía, a modo de "ataque", es ocasionado luego de que el cerebro libere unos neurotransmisores (catecolamina), que se vierten al torrente sanguíneo. Sin embargo, además de ello, ocurre un fenómeno paralelo, tal como lo describe Daniel Goleman: "Otra ola impulsada por la amígdala a través de la rama adrenocortical del sistema nervioso crea un fondo tónico general de disposición para la acción que dura mucho más tiempo, incluso días". Esto explicaría el fenómeno frecuente mediante el cual, en muchas ocasiones, nos encontramos bajo un estado de irritabilidad (muchas veces creciente), y sin darnos cuenta terminamos reaccionando furiosamente ante un suceso puntual que actúa como desencadenante, desconociendo los verdaderos factores del enojo o la acumulación de situaciones que lo ocasionaron.

En relación a los gestos faciales, Paul Ekman describe tres características principales a las cuales podemos atender: las cejas que se juntan y bajan (ceño fruncido), los ojos pueden ponerse más brillantes (pupilas dilatadas) y los labios que aparecen apretados y más estrechos. Otros gestos corporales pueden incluir: cerrar los puños, cruzarse de brazos, inclinarse hacia adelante o señalar con el dedo. Sumado a esto, no podemos olvidar el volumen de la voz más elevado, siendo el grito una expresión impulsada para intimidar, limitar o dominar, según la índole de la circunstancia y el grado de intensidad emocional, que puede a veces escalar hasta convertirse en ira.

PERO ENTONCES... ¿PARA QUÉ SIRVE EL ENOJO?

La respuesta no será tan complicada si nos detenemos a pensar en alguna situación reciente en la que estuvimos enfadados. O quizás podamos recordar alguna protesta o marcha social dirigida a reclamar al gobierno de turno. ¿Qué creen que motiva a esa masa de personas? El enojo. Específicamente, el enojo sirve para resolver desacuerdos, defendernos, defender nuestros derechos y poner límites a las agresiones o imposiciones no deseadas de los otros. Por esta única razón, se considera que al igual que todas las emociones, un momento de enojo puede ser saludable e incluso necesario para sobrevivir en muchas situaciones en las que nos encontramos bajo amenaza.

Por tanto, la identificación y la aceptación del enojo resultan clave en el camino de su regulación, y la práctica de Mindfulness, además de facilitarnos su exploración, nos permitirá encontrar caminos para relacionarnos con él de una manera saludable, en lugar de ser impulsados automáticamente por la ira destructiva.

"El Buda nos dio unas herramientas muy eficaces para apagar el fuego que hay en nuestro interior: el método de respirar y de andar de manera consciente, el método de abrazar nuestra ira y de observar profundamente la naturaleza de nuestras percepciones, y el método de observar a fondo a los demás para comprender que también sufren mucho y necesitan nuestra ayuda".

Thich Nhat Hanh

COMPONENTES COGNITIVOS DEL ENOJO

Recordando una vez más que los pensamientos automáticos, o juicios, pueden condicionar nuestras emociones, indagaremos ahora acerca de los pensamientos que pueden estar activando un estado emocional específico. En este caso entonces las preguntas clave serán: ¿qué estamos percibiendo del entorno para ocasionarnos un sentimiento de enojo? O mejor aún, ¿cuál es el contenido de una interpretación generadora de rabia y enfado?

En esta oportunidad, la respuesta versa sobre la injusticia:

- Cuando conducimos al trabajo y alguien realiza una mala maniobra al volante.
- Si nuestro jefe no cumple con lo acordado.
- Cuando las actividades planeadas en el día no salieron según lo previsto.
- Al escuchar en la televisión una noticia que no deseábamos.

Si estamos atravesando un estado emocional relacionado al enojo, lo que estamos percibiendo es injusticia, y creemos que algo de lo acontecido no debería haberse desencadenado de esa forma; es incorrecto o equivocado.

Sin embargo, otro condimento cognitivo y esencial que se pone en juego es el del *personalismo*, o sea la percepción de que esa injusticia ocurrida **nos perjudica a nosotros**, ya sea en forma directa ("me estás atacando con esas palabras tan desagradables") o indirecta ("si busca problemas con mi amigo, también los está buscando conmigo"). Es decir, a veces, pese a que la injusticia que percibimos no sea dirigida explícita y directamente hacia nosotros, puede que el grado de egocentrismo (creencia de que el suceso perjudicial se relaciona con nosotros mismos), impulse emociones ligadas al enojo o la ira, dado que entendemos que los agravios, amenazas o injurias están destinados a nuestro "yo".

De todas maneras, no creo que esto siempre deba ser negativo, puesto que a veces la rabia puede estar motivada por la compasión, dado que nos ponemos en el lugar de quien está siendo perjudicado –pese a que no guardemos un vínculo íntimo con esa persona–, y nuestro enfado es impulsado por nuestro organismo para defender el bien común y velar por los derechos de otros sujetos que no necesariamente mantienen una relación con nosotros. En una ocasión así, sin embargo, la amenaza es percibida hacia un "nosotros" en lugar de a un "yo" o "ego" en particular.

¿ENOJADOS O IRASCIBLES?

La ira es el enojo a la máxima potencia y suele ser destructiva en muchos aspectos de nuestra vida. A diferencia del enojo, cuya expresión puede ser saludable y resolutiva, la ira o el odio constituyen sentimientos que debemos aprender a erradicar de la cotidianidad.

Albert Ellis, padre de la Terapia Racional Emotiva Conductual, quien profundizó sus estudios sobre la ira, describe cuatro tipos de creencias o juicios irracionales, que cuando se agregan a la percepción de injusticia pueden transformar el enojo en ira. De esta manera, volvemos a confirmar nuestra ecuación inicial, que en este caso se traduce de la siguiente manera:

ENOJO + MENTE CONFUNDIDA = IRA

Describamos las cuatro creencias identificadas por Albert Ellis:

1. Consideramos que esa injusticia "**es terrible**", juicio que califica una determinada acción como ciento por ciento mala, o todo lo mala que pueda ser. En la mayoría de las ocasiones este agregado mental suele ser irracional, dado que las injusticias que tendemos a percibir en la cotidianidad no son tan horripilantes, y un grado de exageración tiende a torcer nuestra visión.

2. Además, como esa injusticia es terrible, podemos interpretar que "**no soporto** vivir con eso". Este fenómeno cognitivo que Ellis bautizó como no-soportitis, hace alusión a la creencia de que no podemos tolerar situaciones que existen y la mayoría de las veces son tolerables.

3. Como esa acción es tan mala, "bajo ningún concepto **debería**" producirse de esa manera. Cuando los "debería" o reproches que produce nuestra mente se dirigen hacia afuera (familiares, amigos, políticos, el mundo, la sociedad, Dios, el Estado, etc.) se incrementa el enojo más de la cuenta. Esta creencia es irracional porque existen muchas cosas, como vimos en el capítulo 4, que no dependen de nosotros y no podemos controlar, y es por eso que resulta ilógico que demandemos que se produzcan de una forma determinada. Una persona puede preferir o desear que exista la paz en el mundo, pero demandar que la situación mundial sea como él quiera no tiene mucho sentido.

4. Dado que esas acciones son terribles, y no deberían realizarse bajo ningún concepto, quienes las realizan "**son unas personas malvadas** que no deberían tener una buena vida y merecen ser castigadas". Claro que podemos enojarnos por una acción que consideramos incorrecta e injusta, y que incluso calificamos como mala o malvada, pero categorizar a la persona y toda su esencia por esa acción sin dudas hará que nos encolericemos mucho más. Condenar globalmente a toda la persona por un aspecto de su accionar es más ilógico de lo que estamos habituados a creer.

Aprender a reconocer los juicios que emite nuestra mente en relación a la percepción de injusticia será esencial para determinar el grado de funcionalidad que gira en torno a nuestro enojo.

Sin embargo, podemos pensar que un impulso de enojo intenso, rabia o ira, no siempre vaya a ser disfuncional. Hay situaciones extremas, como la de estar siendo sometido a una instancia de violencia o abuso, en las que una explosión puede ayudarnos a protegernos y sobrevivir.

Para reflexionar un poco más sobre esto, citaré unas palabras del Dalai Lama, para quien incluso una reacción de enojo extremo puede estar inducida por la compasión:

"Una de las razones por las que hay que adoptar una actitud enérgica contra alguien es que si se deja pasar lo sucedido, sea cual fuere el daño o el delito que se haya cometido, se corre peligro de dejar que esa persona se habitúe de un modo muy negativo, algo que, en realidad, provocará el deterioro de esa persona y a largo plazo será muy destructivo para ella. En consecuencia, a veces es necesario tomar contramedidas muy firmes, pero sin dejar de pensar que se hace a partir de la compasión y la preocupación por esa persona".

De todas maneras, que existan ocasiones excepcionales que ameriten una reacción de ira no significa de ningún modo que debamos generar un hábito de reacción o comportamiento vinculado a este monto de intensidad emocional, dado que seguramente estará fundado en juicios irracionales y además tendrá costes altísimos para nuestra calidad de vida.

Pensemos en algunas consecuencias de la ira:

- Destruye las relaciones personales: amigos, parejas, hermanos, hijos, padres, etc. Cualquier tipo de vínculo puede verse afectado negativamente por impulsos destructivos o por actitudes rígidas que se nutren del odio y el resentimiento.

- Provoca inconvenientes cardíacos: múltiples estudios científicos demuestran la correlación entre los estados emocionales de ira recurrentes y las afecciones cardiovasculares.
- Afecta negativamente nuestras relaciones laborales: creando entornos de competencia y hostilidad.
- Genera agresiones verbales o físicas, y consecuencias terribles de las cuales podemos terminar arrepintiéndonos de por vida.

¡NO TE ENOJES!

Volvamos una vez más sobre el mecanismo de la evitación y preguntémonos qué podría suceder si pretendemos erradicar absolutamente el enojo de nuestras vidas. Las siguientes son algunas opciones:

- *Que nos pasen por arriba*: en determinadas circunstancias es verdaderamente importante que pongamos límites o luchemos por nuestros derechos. Las personas dependientes, por ejemplo, suelen tolerar las agresiones por temor a que las dejen solas. La carencia para expresar el enojo es evidente en ocasiones así, e incluso puede que ese enojo, que deberíamos dirigir hacia afuera, se vuelque hacia nuestro interior, justificando de esa manera las acciones del agresor y desarrollando un sentimiento de culpa.
- *Que terminemos explotando*: intentar evitar el enojo puede conducirnos a su acumulación, lo cual puede desencadenar a la larga una reacción de ira que probablemente no nos ayude a conseguir nuestros objetivos, y además nos genere mayores dificultades.
- *Que nos enfermemos*: tampoco es infrecuente que alguna corriente somática sirva de canal para brindar un tipo de expresión al enojo. En términos generales, no es extraño que quienes padecen afecciones psicosomáticas presenten elevados niveles de *alexitimia*, lo que en Psicología se conoce como una incapacidad para identificar y expresar las emociones.

Como podemos observar nuevamente, la evitación no es siempre la solución correcta. El enojo es una emoción básica, y por tanto tiene una función de supervivencia y adaptación. Intentar anularla radicalmente puede ocasionarnos nuevos problemas.

"A veces se nos aconseja que, cuando alguien nos trate mal, adoptemos una actitud pasiva, de no resistencia. Pero la resignación a menudo conduce a la perpetuación de la injusticia, o lo que es peor, puedo incluso acrecentarla".

Albert Ellis

ECHARLE LEÑA AL FUEGO

Para que el fuego del enojo nunca se apague, la rumiación quizás sea el combustible por excelencia. Pongamos un ejemplo: Ricardo se encuentra mirando las noticias en la televisión. Primero informan que el índice de inflación se ha incrementado, a lo cual responde: "en este país siempre ocurre lo mismo...". Luego el conductor del noticiero anuncia que han ingresado a robar en la casa de dos ancianos, y en este caso reacciona diciendo: "cada vez más inseguridad, ¡no puede ser...!". Tras esa noticia sigue otra que comunica sobre las próximas elecciones para presidente, lo que le da pie para comentar: "encima quieren que vayamos a votar, ¡que vayan ellos!".

Pareciera que Ricardo utiliza el noticiero para dar siempre vueltas sobre el mismo lugar y quedarse atascado en la queja. Su enojo, que no lo impulsa a dirigir ninguna acción ni cambio en su vida, tampoco es suprimido, sino más bien alimentado por su rumiación, que en este caso es fielmente acompañada por la tele.

El resentimiento, definido como un sentimiento persistente de enfado pese al transcurso del tiempo, quizás pueda ser explicado desde la lógica de este mismo mecanismo. Al afrontar el enojo pura y exclusivamente desde el pensamiento reiterativo, no hacemos más que alimentarlo, y al creer que nos estamos ocupando, en realidad solo perpetuamos un enojo que probablemente no nos conduzca a ningún lado.

LA IMPORTANCIA DE DAR EN EL CLAVO

En contraposición a los estudios que revelan la conexión entre ira reprimida y la enfermedad, existe un mito sobre la adecuada gestión del enojo, que nos invita a realizar una descarga de él, a modo de catarsis, como si realmente produciría ello una liberación y/o beneficio en nuestro organismo. La ciencia logró demostrar lo contrario cuando el Dr. Aaron Siegman, de la Universidad de Maryland, confirmó mediante una serie de investigaciones que el riesgo para nuestra salud es mayor cuando nos permitimos expresar la furia activamente y sin límites ni forma alguna de contención. Además de ello, el Dr. Dolf Zillmann, de la Universidad de Alabama, comprobó durante la década de 1950 que la catarsis no lograba la disminución de la rabia, como se suponía; sin embargo, la satisfacción que producía su descarga alimentaba una especie de adicción que alentaba a los sujetos a producir una nueva catarsis.

Como ya podemos darnos cuenta, el enojo es una emoción difícil de regular y tal vez usted se esté preguntando: "¿En qué momentos debo expresar mi enojo? ¿Cuándo debo ser más cauteloso? ¿Cuándo es necesario revisar los juicios irracionales generadores de ira? ¿Cómo lo debo expresar para que no genere más problemas de los que ya tengo? ¿Cómo se supone que el enojo me ayuda a resolver una situación en la que me veo amenazado?".

Existe una palabrilla que considero interesante a la hora de referirnos a la efectiva regulación del enojo: *asertividad*. Es importante que hablemos de asertividad si estamos dispuestos a trabajar para que nuestro enojo sea dirigido de manera eficaz y contribuya en una medida adecuada a nuestro bienestar, en lugar de generarnos más sufrimiento. La asertividad hace alusión a una capacidad de comunicación que nos permite expresar lo que deseamos, respetando a los demás, y que culmina, en el mejor de los casos, en el cumplimiento de nuestros objetivos. Es decir que, entre un estilo pasivo y otro agresivo de reaccionar ante un determinado suceso que consideramos injusto, se encuentra el estilo asertivo.

Un ejercicio interesante para desarrollar la asertividad en nuestra comunicación del enojo consiste en preguntarnos a nosotros mismos cómo nos gustaría que nos dijeran eso que nosotros intentaremos comunicar y que nos provoca disgusto. ¿De qué manera creemos que nosotros reaccionaríamos si nos dicen algo semejante? ¿Qué palabras nos gustaría escuchar o cómo preferiríamos que nos traten al momento de hablarnos sobre el tema en cuestión? Recordando siempre que el enojo puede ayudarnos a resolver, puesto que mediante la comunicación de lo que creemos injusto, incorrecto o equivocado, podemos lograr un acuerdo con la otra persona o aclarar lo acontecido, en lugar de quedarnos masticando una serie de conjeturas que no hacen más que perpetuarnos en un enojo poco inteligente.

"Cualquiera puede enfadarse, eso es fácil. Pero estar enojado con la persona adecuada en el grado correcto, en el momento adecuado para el propósito correcto, y de la manera correcta, no está en las posibilidades de todos y no es fácil".

Aristóteles

Por otro lado, también considero que la clave de la asertividad reside en variar la estrategia con la cual afrontemos el enojo, o mejor dicho, intentar no quedarnos atascados en una única forma de respuesta. Y aquí es cuando se hace presente nuevamente lo estudiando en la semana número 3 del entrenamiento: nuestra historia puede que haya condicionado unas pautas de interpretación rígidas, que se presentan como picos de activación, y que impiden que nos relacionemos con ciertos estímulos de diferentes maneras. Por ejemplo, si cada vez que alguien nos hace un chiste reaccionamos con un enojo desmedido, dado que interpretamos que nos están amenazando, quizás debamos preguntarnos si la causa de esa reacción no está mayormente ligada a nuestra historia del pasado.

EMOCIÓN BÁSICA VS. EMOCIÓN FUNDAMENTADA EN EL EGO

Este apartado lo agregué para remarcar esta distinción, dado que me tocó oír en repetidas ocasiones que "todo enojo tiene un fundamento en el ego". Creer e internalizar una idea como esa puede inducirnos a reprimir el enojo, o incluso hacernos sentir culpa por experimentarlo. Como hemos visto, el enojo puede ser considerado una emoción básica, y como tal, es necesario para sobrevivir, defendernos y lograr un mayor bienestar. ¡No todo enojo tiene un fundamento en el ego! De hecho, como dijimos antes, incluso la compasión también puede motivarlo, y en esas ocasiones subyace una concepción de "nosotros" que se contrapone claramente a la ilusión de "ego" o "yo".

Aclaremos lo del "yo ilusorio": afirmamos que el ego es ilusorio y máxima creación de nuestra mente, porque no tiene un asentamiento cerebral y porque no encontraremos una respuesta exacta a la pregunta "¿quién soy yo?". Le sugiero que intente dar una respuesta, seguramente se atascará en nombres propios, apodos, adjetivos y roles. La mente, mediante una serie de mecanismos, se ocupa de dar cierto grado de coherencia y continuidad a nuestra idea de "yo"; sin embargo, tal como Einstein lo daba a entender, la ciencia nos habla de un "nosotros" y una permanente interconexión con los otros y el universo: es decir que formamos parte de un todo, siendo la idea de aislamiento o de separación el mayor invento de nuestra mente.

Hablar de que el "yo", como entidad separada, es netamente ilusorio puede resultar un tanto descabellado, incluso para los psicólogos occidentales, quienes parten de la existencia certera de un "yo" para desarrollar muchas de sus teorías. De todas maneras, que no exista realmente no quiere decir que no exista en nuestra mente.

Como dijimos antes, pese a que no todo el enojo que experimentamos encuentra fundamento en nuestro ego, mucho de él efectivamente sí lo encuentra allí. Y comprender esta diferenciación puede ayudarnos a ser más asertivos: "¿Mi enojo está funcionando como emoción básica o como mecanismo de defensa de nuestro ego ilusorio?".

Cuando somos demasiado sensibles a las opiniones de las demás personas, por ejemplo, puede uno preguntarse si a veces el enojo no funciona como un mecanismo de defensa que intenta compensar un sentimiento de inferioridad subyacente. Veamos un ejemplo: Roberto se encuentra en el trabajo y recibe una orden de su supervisora en un tono que él considera poco amable e impertinente. Como consecuencia, esto le produce un grado de irritabilidad que lo impulsa a confrontar con la mujer en un tono más subido: "A mí me pides las cosas de una buena manera, quién te has creído. Todo porque ahora eres supervisora...". Posteriormente Roberto recibe un llamado de atención de su jefe, en donde se le sugiere que se dirija de una forma más educada con su supervisora.

¿Por qué Roberto reaccionó de tal forma con su supervisora? Porque cree que ella está posicionada por encima de él y para *lograr un equilibrio* entre su ego y el de su supervisora, reacciona con irritabilidad y enojo. Obviamente, las consecuencias no fueron favorables para él.

MINDFULNESS PARA EL ENOJO

Nos encontramos con varias aristas que dan cuenta del modo en que Mindfulness puede ser positivo para regular nuestro enojo y ayudarnos a ser más asertivos en su expresión. En la medida en que consideramos a la paciencia y la calma como antídotos contra las reacciones de ira, la práctica de Mindfulness se vuelve esencial para lograr un mayor equilibrio, dado que incrementa nuestra capacidad para responder voluntariamente ante el presente, en lugar de reaccionar automáticamente y dejándonos arrastrar por impulsos que pueden resultar contraproducentes.

Mediante la aceptación del enojo como parte de nuestra naturaleza nos volvemos conscientes de las formas en las que puede manifestarse en nuestro cuerpo, reconocemos los pensamientos automáticos o juicios que pueden alterar nuestra perspectiva de las cosas y hacernos enfurecer, y nos damos permiso para explorar y sentir una emoción cuya finalidad puede conducirnos a resolver un aspecto de nuestras vidas. Y en esta ocasión también, la aceptación del enojo y el cauce que le demos a su devenir puede liberarnos de los problemas que generan la evitación o la rumiación, al activarse automáticamente como mecanismos de afrontamiento inadecuados.

"Yo no vería al enojo como algo ajeno a mí, tengo que luchar. Tengo que lidiar con mi ira con cuidado, con amor, con ternura, con la no violencia".

Thich Nhat Hanh

Y finalmente, la compasión, considerada el corazón de Mindfulness, constituye otro de los antídotos contra la ira y el enojo exacerbado, ya que al practicar la *conciencia plena*, también aprendemos a enfocar nuestra atención en los demás, lo que nos vuelve más comprensivos; y al eliminar las barreras ilusorias de nuestro "yo", es la correcta observación de un "nosotros" lo que nos ayuda a suprimir muchos de los enojos cuyo fundamento se halla en el falso ego.

LA COMPASIÓN: MENTE PLENA, CORAZÓN CONTENTO

Jon Kabat-Zinn declaró que Mindfulness también podría ser llamado Heartfulness (corazón pleno), y eso es porque la compasión constituye un aspecto esencial de la práctica. Cuando aprendemos a concentrar nuestra atención, pero el foco está puesto en los otros, el desarrollo de emociones altruistas es mucho más probable y esa es la razón por la cual Mindfulness puede ser considerado un sinónimo de compasión. Imagine que la capacidad de ser consciente del momento presente, sin juzgar y con aceptación está enfocada en otra persona, ¿acaso no cree que será mucho más fácil comprenderla y saber lo que necesita o siente?

Pero seguro usted también se estará preguntando en este momento: "¡¿qué es la compasión?!". Definámosla: la compasión es una emoción altruista, que nos impulsa a liberar del sufrimiento a los otros. Si bien está emparentada con la empatía, que nos permite ponernos en el lugar del otro, la compasión se experimenta cuando logramos comprender que somos capaces de sufrir tanto como cualquier otro ser humano. Y esa es la clave para diferenciarla también de la lástima, en cuyo caso, la creencia que predomina es: "yo nunca sufriré como sufre él", entonces nos consideramos superiores. Pero en la compasión entendemos que somos iguales a cualquier otra persona, y por ende podemos sufrir tanto como sufren los otros, y es por eso que buscamos ser compasivos y colaborar para lograr el cese del sufrimiento de los demás.

"El dolor de los demás resuena en nosotros porque estamos interconectados. Al ser un todo y formar parte al mismo tiempo de un todo mayor, podemos transformar el mundo transformándonos a nosotros mismos. Si en este instante me convierto en un foco de amor y de bondad, aunque sea quizá de una manera modesta pero en absoluto insignificante, el mundo tiene ahora un foco de amor y bondad del que carecía en el instante anterior. Esto me beneficia a mí y beneficia a los demás".

Jon Kabat-Zinn

NEUROCIENCIA DE LA COMPASIÓN

A finales del siglo pasado, Giacomo Rizzolatti, un neurobiólogo italiano, descubrió lo que hoy se conoce como "neuronas espejo", que cumplirían un papel fundamental en el desarrollo de las emociones altruistas. El científico observó que las neuronas de la corteza premotora que se activaban en un mono cuando se llevaba a la boca un maní, también se ponían en funcionamiento cuando el mono observaba que otro mono se llevaba comida a la boca. Es decir, que resultan esenciales en los procesos de imitación. Ahora bien, la imitación que nos permite llevar adelante este conjunto de neuronas también facilita a los seres humanos la posibilidad de simular internamente los estados emocionales de otras personas, lo cual daría sustento neurológico a la compasión. Marco Iacoboni, doctor en neurociencias e investigador de la UCLA, explica que las neuronas espejo efectúan una imitación interna, o simulación, de la expresión facial observada, y envían señales al sistema límbico (zona cerebral que regula las emociones) a través de la ínsula, y dicho sistema entonces nos permite sentir la emoción que vemos.

"Estamos cableados para conectar con los demás, pero la vida moderna hace que esta conexión sea cada vez más difícil de lograr. Puede que necesitemos una forma diaria de 'fitness cerebral' para que nuestras sinapsis no caigan en la ilusión del estado de separación".

Daniel Siegel

BENEFICIOS DE LA COMPASIÓN

En un reconocido experimento que llevó a cabo David McClelland, de la Universidad de Harvard, se mostró a un grupo de estudiantes una película sobre la Madre Teresa de Calcuta ayudando a pobres y necesitados. Los participantes que reconocieron una activación de la compasión demostraron un incremento en el nivel de inmunoglobulina A, un anticuerpo que ayuda a combatir las infecciones respiratorias.

En otro estudio, el Dr. James House de la Universidad de Michigan, descubrió que interactuar regularmente mediante la compasión aumentaba las expectativas de vida y la vitalidad general.

Otras investigaciones lograron demostrar una conexión entre la práctica de la compasión y:

- la buena salud emocional,
- el incremento de la felicidad y el entusiasmo,
- la buena salud mental,
- la disminución de las preocupaciones,
- la disminución de la depresión,
- las mejoras en las relaciones interpersonales.

“Hasta el más sencillo de los estudios revela que, cuando gastamos dinero en otras personas o en uno mismo, quien lo gasta en beneficio de otras personas se siente mejor. La compasión y la bondad no solo son buenas para las relaciones, sino también pare el cuerpo y la mente”.

Daniel Siegel

☞ ASPECTOS PRÁCTICOS

PARA PENSAR Y REGISTRAR POR ESCRITO

¿En qué momento/s del día me sentí enojado/a?

____

____

____

Si tuviese que ponerle un número del 1 al 10 a ese episodio, en donde 1 es el mínimo y 10 el máximo de enojo posible, ¿qué número le pondría?

____

____

____

¿Qué hice en ese momento? ¿Cómo reaccioné? ¿Qué conductas llevé adelante? ¿Traté de hacer algo para que ese enojo disminuyera?

____

____

____

¿De qué manera sentí el enojo en mi cuerpo? ¿En qué parte? ¿De qué forma?

____

____

____

¿Qué se me cruzaba por la mente en ese momento? Recuerde que el enojo está ligado a pensamientos que se asocian a la injusticia, pero la ira se asocia a "creencias irracionales" que podemos aprender a identificar.

____

____

____

¿El motor del enojo estaba relacionado a un suceso real o la demanda de justicia fue mayormente construida por mi mente?

____

____

____

¿El enojo se fundamentaba en una amenaza a nuestra supervivencia, salud o bienestar? ¿O lo motivó una amenaza a nuestro ego ilusorio?

____

____

____

EJERCICIOS DE MINDFULNESS PARA EXPLORAR EL ENOJO Y PREVENIR LA IRA DESTRUCTIVA

- En primer lugar considero nuevamente oportuno que practiquemos el ejercicio de **Mindfulness y aceptación**, será una forma eficaz de explorar el enojo, reconociendo el modo en que se manifiesta en el cuerpo, en esta ocasión; atenderemos a las sensaciones que se vinculen a esta emoción particular.
- Los ejercicios de la semana número 5, **sobre pensamientos**, nos brindarán la oportunidad de discernir con mayor eficacia cuáles son los juicios que se están ocupando de disparar nuestro enojo, los cuales en muchas ocasiones, como lo hemos visto, pueden ser irracionales y exagerados.
- **Cualquiera de los ejercicios** que hemos visto hasta al momento y que hayan contribuido para agregarle calma a su vida, estarán bien indicados para prevenir la ira, en la medida en que consideremos la paciencia como un antídoto contra ella. De todas maneras, profundizaremos en dos nuevos ejercicios, que se describen a continuación.

MINDFULNESS Y REFLEXIÓN SOBRE LA IRA

El Dalai Lama propone un ejercicio para abordar la ira, que luego de incorporar a mi propia práctica, y considerar sus beneficios, decidí enseñárselo a algunos pacientes que presentaban serios problemas de impulsividad e inestabilidad emocional. Como observé que también les daba a ellos buenos resultados, no dudé en incluirlo en el programa MyRE como forma de trabajar la ira.

Comenzaremos concentrando nuestra atención en la respiración durante unos minutos.

Ahora visualicemos una persona que queremos mucho. Alguien que conocemos muy bien. Vamos a imaginar progresivamente una situación en la que esa persona pierde el control sobre sí misma. Vamos a suponer también que el episodio ocurre durante una situación en la que sucede algo que nos altera personalmente. La persona está tan enfadada que pierde la compostura, emite vibraciones muy negativas y hasta llega a golpearse a sí misma o a romper objetos.

Reflexionemos sobre los efectos inmediatos de la ira en esta persona. Observaremos que se produce una transformación física. Esa persona a la que usted se siente próximo, que le gusta, que le proporcionó satisfacción en el pasado, se transforma ahora en alguien feo, incluso físicamente hablando. Efectúese esta visualización durante unos minutos.

Ahora analicemos la situación y enumeremos las aplicaciones a su propia experiencia. Comprenda que en muchas ocasiones, usted también se ha encontrado en esta misma situación. Tome la resolución de no permitirse caer en un estado tan intenso de ira, porque si lo hace, se encontrará en la misma situación y también sufrirá las consecuencias: perderá la paz mental y la compostura, y adoptará ese aspecto físico tan feo.

Una vez que haya tomado la decisión, concentre la atención sobre esa conclusión. Entonces, sin analizar nada más, deje que la mente mantenga la resolución de no caer bajo la influencia de la ira o el odio.

MINDFULNESS Y COMPASIÓN: MEDITACIÓN DE BONDAD AFECTUOSA

Esta fue la segunda práctica de Mindfulness que conocí en mi vida. Dado que realicé mi tesis de grado sobre las emociones positivas, lo cual me permitió acceder al título de Licenciado en Psicología, investigué los métodos que resultaban efectivos para despertarlas. La *meditación de bondad afectuosa* o *Metta*, en pali, es uno de los ejercicios que cuenta con mayor aval científico y neurocientífico en el desarrollo de las emociones positivas (incluyendo la compasión), pero además de ello, es una hermosa meditación. Sin embargo, es importante que durante las primeras veces que llevemos adelante el ejercicio lo consideremos como una prueba o experimento, dado que a veces nos damos cuenta de que nos resulta muy complicado o de que aún no estamos preparados. En ese caso, seremos pacientes con nosotros mismos y podremos intentarlo nuevamente en otra ocasión.

Empiece por concentrarse unos minutos en la respiración y también en la zona del corazón. Una vez que se haya conectado con su corazón, piense en una persona que le produzca sentimientos cálidos, tiernos y compasivos. El objetivo es despertar sentimientos cálidos y tiernos de manera natural.

En cuanto estos sentimientos hayan tomado el control, deje ir suavemente la imagen de ese ser querido y conserve el sentimiento.

Ahora extienda ese cálido sentimiento hacia usted. Quiérase profunda y puramente. Puede necesitar práctica y paciencia para que sea algo genuino.

Ahora envíe estos sentimientos de calidez, ternura, amor y compasión hacia una persona que conozca bien. Repetiremos: "Deseo que esa persona se encuentre bien y sea feliz".

Luego envíe estos sentimientos de calidez, ternura, amor y compasión hacia amigos y familiares. "Que sean felices, que tengan salud y que vivan en paz".

Ahora intente enviar estos sentimientos de calidez, ternura, amor y compasión hacia vecinos y conocidos.

Se extenderá un poco más, e intentará enviar estos sentimientos de calidez, ternura, amor y compasión hacia todas las personas de la ciudad en la que reside. "Que sean felices, que tengan salud y que vivan en paz".

Extenderá ahora sus sentimientos hacia todo el país. "Deseo que todas esas personas sean felices, que tengan salud y que vivan en paz".

Por último, intente enviar estos sentimientos de calidez, ternura, amor y compasión hacia todo el universo. Trate de percibirse en conexión con todo el mundo y desee el bienestar para la Tierra entera. "Deseo que todos los seres del plantea se encuentren bien y sean felices".

CAPÍTULO 9
DESPUÉS DEL PROGRAMA

UN DESAFÍO PERMANENTE

"ME PROMETO A MÍ MISMO QUE DISFRUTARÉ DE CADA MINUTO DEL DÍA QUE SE DA A MI VIDA".

THICH NHAT HANH

Y AHORA... ¿CÓMO CONTINUAMOS?

Esta es la pregunta que realizan muchos de los participantes del programa MyRE durante el transcurso de los últimos encuentros. Siempre considero que son múltiples las opciones y todo dependerá del modo en que cada uno se vea más favorecido. Las formas en las que el ser humano aprende e interioriza los conocimientos para generar nuevos hábitos pueden ser diversas. Es decir, para algunas personas es suficiente haber transcurrido por esta experiencia y consiguen mantener una práctica con ayuda de los audios y algún material bibliográfico extra. Para otros, es importante encontrar un grupo de compañeros si desean sostener la práctica con regularidad, y si es supervisado por un profesional especialista, mucho mejor. Finalmente, otros entusiastas se embarcan y desarrollan su entrenamiento con la ayuda de Google y YouTube. Creo que lo ideal sería combinar todas esas modalidades.

De todas maneras, sea cual fuere nuestra forma de continuar, lo esencial es que exista un compromiso con la práctica. Es decir, no basta que miremos videos, leamos o vayamos a cursos si no logramos sentarnos a meditar con una actitud propensa al entrenamiento y el cultivo genuino de nuestra habilidad *mindful*.

Personalmente, considerar la continuidad de la práctica como un desafío permanente es algo que me ayuda a comprometerme con el entrenamiento día a día. Pero atención, porque no me refiero a un desafío que nos implique una carga difícil de llevar o que a la larga nos haga sentir culpables por no cumplir con el tiempo de práctica programado. La compasión hacia nosotros mismos es esencial en el desarrollo de nuestro entrenamiento. Intentemos no ser duros con nosotros mismos, ni tampoco caer en un enjuiciamiento crítico. Siempre recuerdo lo que me dijo Ronald Siegel: "Que no implique tanto conflicto contigo mismo". Comprometidos sí, pero autocompasivos también.

SOBRE LOS POSIBLES OBSTÁCULOS

Reconocer y ser conscientes de los obstáculos que pueden presentársenos a la hora de sentarnos a practicar puede resultarnos de mucha utilidad si deseamos trabajar para superarlos. Elisha Goldstein –psicólogo clínico y cofundador del Center for Mindful Living en Los Ángeles– y Bob Stahl –profesor en el Insight Meditation Society–, proponen cinco obstáculos con los cuales podemos enfrentarnos:

1. **Deseo**: puede que a la hora de practicar, tu mente desee que las cosas sean diferentes de lo que son. A veces, nos ponemos ciertos requisitos o

condiciones para comenzar, que nunca se terminan de dar exactamente como lo prevemos. Además, en otras ocasiones, quizás desees encontrarte en otro lugar, lo cual genera inquietud y distracción.

2. **Irritación y aversión**: no es tan raro que algunas características del contexto, como puede ser un ruido molesto, hagan que nos irritemos fácilmente. Dejar de explorar la causa de lo que nos molesta también puede conducirnos al abandono.

3. **Somnolencia**: tampoco es inusual que muchos de nosotros no estemos descansando lo suficiente. Cuando eso sucede, la somnolencia durante el entrenamiento puede aparecer y lo más probable es que deseemos irnos a dormir.

4. **Inquietud**: resulta entendible que para nuestra mente, que siempre está ocupándose de resolver cosas, y ha sido entrenada para *hacer de* modo incesante, sea difícil enfocarse. Mantener la quietud pese a los impulsos o intenciones del cuerpo es toda una nueva empresa.

5. **Duda**: a cualquiera se le puede cruzar por la cabeza pensar: "¿esto en realidad me servirá?". Las dudas acerca de la efectividad son razonables; sin embargo, si son excesivas, terminarán alejándome de la práctica sin permitirme siquiera tener una experiencia.

ALGUNOS CONSEJOS PARA CONTINUAR CON LA PRÁCTICA

- Vaya de menos a más. Es importante la progresividad, no hace falta comenzar con una práctica tan prolongada si se va a ver frustrado rápidamente.
- Lo más importante es que lo haga a diario. Aunque al menos comience deteniéndose cinco minutos, que sea todos los días. No sirve de nada que practique 45 minutos en un día si lo va a hacer tan solo una vez a la semana.
- Proteja su espacio y tiempo de práctica como si se tratase de cualquier otra actividad.
- Cree las condiciones que sean más adecuadas para usted durante la práctica formal. Para algunas personas es importante generar "un ambiente" de meditación, y me parece muy bien si eso contribuirá para un mayor compromiso y adhesión.
- La participación en un grupo de práctica puede ser fundamental para verse acompañado en el camino del Mindfulness, compartiendo con compañeros y maestros que se interesan tanto como usted.

- Los materiales audiovisuales que puede encontrar en diferentes sitios web especializados, o los libros, constituyen verdaderos apoyos para profundizar y sostener la práctica.
- Reconozca los verdaderos motivos por los cuales le interesa continuar con la práctica de Mindfulness.
- Recuerde ser compasivo y amable con usted mismo, téngase paciencia y valore cada esfuerzo que realiza.
- Recuerde que los obstáculos que puedan presentarse son naturales, no se desaliente y siempre regálese la oportunidad de intentarlo nuevamente.

"El principal apoyo para la práctica de la atención se asienta en la cualidad de la motivación y en la intensidad de la pasión con que la acometamos. Quien sepa lo sencillo que resulta relegar a la inconsciencia, la automaticidad y el condicionamiento grandes segmentos de nuestra vida coincidirá conmigo en que no hay apoyo externo que pueda sustituir al fuego y la pasión internos y silenciosos que nos llevan a vivir la vida como si realmente importase".

Jon Kabat-Zinn

¿QUÉ PUEDO HACER PARA NO PREOCUPARME TANTO?

Recuerdo lo que un participante del programa me preguntó en el momento en que me estaba despidiendo de él, luego del último encuentro: "¿Qué puede recomendarme para que no me preocupe tanto por todo?". A lo cual me urgió responderle: "Piense en que mañana podría morir. Después de todo, nadie tiene el futuro asegurado, ni usted, ni yo, ni nadie. Es una realidad. Ahora que tiene en claro eso, pregúntese lo siguiente: ¿qué sería importante hoy si usted mañana moriría?".

Con la finalidad de ayudarnos a ordenar prioridades, las cuales suelen verse alteradas por nuestra mente condicionada, no estaría mal que tengamos presente un fenómeno ineludible: nuestra propia muerte. Dicho acontecimiento podría hacernos tomar conciencia de las cosas verdaderamente importantes. Aceptar plenamente el hecho de que un día moriremos quizás puede constituir el impulso necesario para conectar con el momento presente.

BREVE CUESTIONARIO PARA REFLEXIONAR SOBRE NUESTRA EXPERIENCIA

1. ¿Cómo me resultó el programa de Mindfulness y Regulación Emocional?

____

____

2. ¿Cuáles son los contenidos o prácticas que más me beneficiaron?

____

____

3. ¿Qué obstáculos se me presentaron para desarrollar la práctica? ¿Cómo se manifestaron? ¿Cómo los percibí en el cuerpo? ¿Qué podría hacer para superarlos?

____

____

4. ¿Cuáles son las razones por las cuales me interesa continuar con la práctica de Mindfulness?

____

____

"Además de resultar sumamente útil para afrontar las dificultades cotidianas, la práctica de Mindfulness forma parte de una senda hacia una particular especie de felicidad. Esta felicidad no depende de sensaciones placenteras (aunque disfrutemos de ellas cuando se producen) y ciertamente no se basa en el "éxito" (en el sentido convencional de la palabra). Es la felicidad más plena, que procede de estar despiertos".

Ronald D. Siegel

BIBLIOGRAFÍA

Beck, A. (1990): *Con el amor no basta*. Barcelona: Paidós.

Dalai Lama y **Cutler, H.** (1999): *El arte de la felicidad*. Buenos Aires: Sudamericana.

Davidson, R. (2012): *El perfil emocional de tu cerebro*. España: Destino.

Davidson, R. J., J. Kabat-Zinn, et al. (2003): "Alterations in brain and immune function produced by mindfulness meditation", *Psychosom Med* 65(4): 564-570.

Ekman, P. (2009): *Cómo detectar mentiras*. Barcelona: Paidós.

Ellis, A. (2000): *Cómo controlar la ansiedad antes de que le controle a usted*. Barcelona: Paidós.

Ellis, A. y **Tafrate, R.** (2007): *Controle su ira antes de que ella le controle a usted*. Barcelona: Paidós.

Fincham, F. D. (2000): "Optimism and the Family", en J. E. Gillham (ed.): *The Science of Optimism and Hope*.

Frankl, V. (2016): *El hombre en busca del sentido*. Barcelona: Herder.

Goldstein, E. y **Stahl, B.** (2016): *El manual del Mindfulness*. Barcelona: Kairós.

Goldstein, J. (1994): *Insight Meditation*. Boston: Shambhala Publications S.A.

Goleman, D. (1999): *La inteligencia emocional*. Buenos Aires: Vergara Editor.

Hayes, S. (2013): *Sal de tu mente, entra en tu vida*. España: Desclee de Brouwer.

House, J. (1981): *Work, stress and social support*. Reading, PA.: Addison-Wesley

Iacoboni, M. (2009): *Las neuronas espejo*. España: Katz.

Kabat-Zinn, J. (2003): *Vivir con plenitud las crisis*. Barcelona: Kairós.

Kabat-Zinn, J. (2007): *La práctica de la atención plena*. Barcelona: Kairós.

Kabat-Zinn, J. (2009): *Mindfulness en la vida cotidiana*. Barcelona: Paidós.

Kabat-Zinn, J. y **Davidson R.** (2013): *El poder curativo de la meditación*. Barcelona: Kairós.

Kandel, E. (2007): *En busca de la memoria: el nacimiento de una nueva ciencia de la mente*. España: Katz.

Kubzansky L. D., Wright R. J., Cohen S., Weiss S., Rosner B., Sparrow D. (2002): "Breathing easy: a prospective study of optimism and pulmonary function in the normative aging study", en *Ann. Behav. Med.* 24, 345–353.

Lazar S.W., Bush G., Gollub R. L., Fricchione G.L., Khalsa G., Benson H. (2000): "Functional brain mapping of the relaxation response and meditation", *NeuroReport* 11, 1581–1585.

Lazar, S. W., Kerr, C. E., Wasserman, R. H., Gray, J. R., Greve, D. N., Treadway, M. T., et al. (2005): "Meditation experience is associated with increased cortical thickness", *Neuroreport* 16 (17), 1893-1997.

Main, M. (2000): "The organized categories of infant, child, and adult attachment: Flexible and inflexible attention under attachment-related stress", *Journal of the American Psychoanalitic Association* 48, 1055-1127.

McClelland D. (1989): *Estudio de la motivación humana*. España: Narcea.

Scheier, M. F. y **Carver, C. S.** (1985): "Optimism, coping, and health: Assessment and implications of generalized outcome expectancies", *Health Psychology* 4 219–247.

Siegel, D. (2010): *Cerebro y Mindfulness*. Barcelona: Paidós.

Siegel, D. (2012): *Mindfulness y psicoterapia*. Buenos Aires: Paidós.

Siegel, D. (2011): *Mindsight, la nueva ciencia de la transformación*. Barcelona: Paidós.

Siegel, R. (2012): *La solución Mindfulness. Prácticas cotidianas para problemas cotidianos*. España: Desclee de Brouwer.

Siegman, A. y **Smith, T.** (1993): *Anger, hostility and the heart*. New Jersey: Lawrence Erlbaum

Teasdale, J.; Williams, M. y **Segal, Z.** (2015): *El camino del Mindfulness*. Barcelona: Paidós.

Teasdale, J.; Williams, M. y **Segal, Z.** (2002): *Terapia Cognitiva de la Depresión basada en la Conciencia Plena*. España: Desclee de Brouwer.

Thich Nhat Hanh y **Cheung, L.** (2011): *Saborear, Mindfulness para comer y vivir bien*. España: Oniro.

Thich Nhat Hanh (2001): *La ira, el dominio del fuego interior*. Barcelona: Paidós.

Thich Nhat Hanh (2014): *El milagro de Mindfulness*. España: Oniro.